Chères lectrices,

Avez-vous remarqué que, ~~en cette pé~~ les magazines féminins ne semblent s'intéresser qu'à une chose : notre corps et son apparence ? Voyez leurs couvertures : pas une qui ne nous promette un physique de déesse... Quant aux pages intérieures, elles vantent les mérites de régimes « faciles et sans effort », illustrés par des mannequins qui n'ont visiblement jamais eu le moindre petit bourrelet !

Rassurez-vous, je ne vais pas, à mon tour, vous proposer une recette miracle pour perdre trois kilos en un week-end (entre nous, je ne crois pas que ce soit possible...). En revanche, je vous donnerai un conseil : lisez *Le bouquet de la mariée* (Azur n° 2414) — une excellente façon de se réconcilier avec nos rondeurs dans la bonne humeur !

Dans ce roman, vous ferez la connaissance de Jodie, une jeune femme au physique généreux, bien décidée à perdre du poids pour le prochain mariage de sa sœur. Sa résolution est telle qu'elle va jusqu'à engager un coach, le séduisant Brad Morgan, afin de mieux se motiver. Mais à la grande surprise de Jodie, ce stage de remise en forme va lui faire découvrir que l'apparence physique n'est pas le plus important dans la vie. Car Brad, plutôt que de la transformer en poupée « bodybuildée », incite Jodie à s'accepter comme elle est... et comme elle lui plaît, puisqu'il est tombé fou amoureux d'elle. Un sentiment partagé, est-il besoin de le préciser ?

Excellente lecture !

La responsable de collection

LIZ FIELDING

Le bouquet de la mariée

COLLECTION AZUR

*éditions*Harlequin

Cet ouvrage a été publié en langue anglaise
sous le titre :
THE BRIDESMAID'S REWARD

Traduction française de
ÉLISABETH MARZIN

HARLEQUIN®

est une marque déposée du Groupe Harlequin
et Azur ® est une marque déposée d'Harlequin S.A.

1.

— Jodie ? Que se passe-t-il ? Calme-toi. Respire profondément.

A l'autre bout de la ligne, Jodie Layton interrompit son appel au secours aussi désespéré qu'incohérent pour suivre le conseil de son amie Gina. Sans succès. Son cœur continua de battre à coups précipités et ses jambes restèrent flageolantes.

— Ça va mieux ?

Jodie secoua vigoureusement la tête en signe de dénégation. Certes, Gina ne pouvait pas la voir mais elle la connaissait suffisamment bien pour interpréter son silence...

— Tant pis, commenta en effet Gina comme si elles étaient en vidéoconférence. Essaie quand même de m'expliquer un peu plus clairement ce qui t'arrive.

— J'ai six semaines pour perdre deux tailles et métamorphoser Miss patapouf en demoiselle d'honneur de l'année, répondit Jodie en réduisant ses lamentations à l'essentiel.

— Miss patapouf ! Voyons, n'exagère pas. Tu es juste un peu...

— Rondelette ?

Gina risquait d'avoir du mal à trouver un euphémisme plus charitable pour évoquer ses courbes généreuses, ses hanches larges et ses cuisses envahies par la cellulite, songea Jodie avant de poursuivre.

— Ma sœur — celle qui est mince, belle, talentueuse...

— Tu n'en as qu'une !

— ... celle qui fait régulièrement la une des magazines. La grande actrice adulée par le public et la critique...

— Ecoute, je sais qui est ta sœur. Quand je l'ai connue, elle était encore couverte d'acné et portait un appareil dentaire...

— Elle se marie.

Comme prévu, Gina fut réduite au silence par ce scoop. Jodie en profita pour enchaîner.

— Et on m'a attribué le rôle de première demoiselle d'honneur.

— Super !

— Catastrophe, tu veux dire !

Jodie reprit le toast qu'elle était en train de beurrer quand sa mère lui avait téléphoné pour lui annoncer la grande nouvelle. Et lui intimer de perdre illico ses kilos superflus... Elle avait promis de lui envoyer par la poste tous les détails sur le dernier régime miracle « qui donnait des résultats spectaculaires en un temps record. » Elle aurait préféré les lui apporter elle-même, mais elle était beaucoup trop occupée. Bien sûr.

Jodie coinça le téléphone contre son épaule, le temps de rajouter une couche de confiture sur le beurre. Tant pis pour les calories, elle s'en préoccuperait plus tard.

Pour l'instant, elle avait un besoin urgent de glucides pour se remettre de ses émotions…

— Je suppose qu'il est inutile de te demander qui est l'heureux élu, dit Gina. D'après la rumeur, le couple le plus en vue du cinéma est aussi amoureux à la ville qu'à l'écran. Quand est prévu cet événement hautement médiatique ?

— Je ne connais pas la date exacte. C'est un secret d'Etat. A cause des médias, justement. Cependant, la première semaine de mai semble favorite. C'est dire à quel point il est urgent que je me mette au jogging. A la musculation. A l'aérobic.

Qu'était-il advenu de toutes les bonnes résolutions qu'elle avait prises au début de l'année ? se demanda Jodie en mordant dans son toast.

— Il faut que je me reprenne en main et que…

— Commence déjà par arrêter de parler la bouche pleine, coupa Gina d'un ton ferme.

— D'accord.

Pas question de contrarier la seule personne au monde capable de lui faire retrouver une silhouette acceptable dans les délais, songea Jodie en ne faisant qu'une bouchée du reste du toast.

— Ça y est, dit-elle après avoir dégluti avec effort. En fait, l'excitation me fait battre le cœur tellement vite que je perds des calories rien qu'en discutant avec toi.

— Désolée de t'enlever tes illusions, mais pour qu'elle se traduise par une perte de poids, l'accélération du rythme cardiaque doit être le résultat d'un effort physique.

— Tu es sûre ?

— Certaine.

— Bon, tu t'y connais mieux que moi. C'est d'ailleurs pour cette raison que je t'appelle.

— Oh, tout s'explique.

— As-tu envie de venir à ce mariage, oui ou non ?

Jodie étouffa ses scrupules dans l'œuf. Après tout, la fin justifiait les moyens, et s'il fallait recourir au chantage, tant pis.

— La liste des invités correspond au *Who's Who* du monde du spectacle, précisa-t-elle. Acteurs. Stars du rock…

— Pour quelle raison ta sœur m'inviterait-elle à son mariage ?

— C'est moi qui t'invite. Je suis censée y aller accompagnée.

— Plutôt par un homme, je suppose ?

— Comment peux-tu être aussi conformiste ? Je n'ai pas l'intention de m'encombrer d'un cavalier. La tradition ne veut-elle pas que la première demoiselle d'honneur inspire au témoin un désir irrépressible ?

— C'est ce qu'on raconte. Mais personnellement, je n'ai jamais rencontré un seul garçon d'honneur digne d'intérêt.

Jodie resta silencieuse.

— Oh…, je commence à comprendre pourquoi la perspective d'être affublée d'une robe à fanfreluches te remplit d'enthousiasme au point d'envisager de faire du sport, reprit Gina. Allez, dis-le-moi. Qui est-ce ?

— Le témoin ? demanda Jodie d'un ton désinvolte.

Comme si ce n'était pas à cause de lui que son cœur vibrait comme une Ferrari en pole position à Monaco, battait aussi fort que la percussion de l'orchestre de la marine royale à Edimbourg pendant la parade militaire,

10

palpitait comme… Se ressaisissant, Jodie prit une profonde inspiration avant de lâcher d'un ton neutre :

— Charles Gray.

Puis elle savoura avec volupté le silence stupéfait qui accueillit cette déclaration.

— Charles Gray ? finit par répéter Gina. Le sex-symbol que toute femme normalement constituée rêve de trouver au pied du sapin le matin de Noël ? Ce Charles Gray-là ?

— Lui-même, acquiesça triomphalement Jodie. Tu te rends compte ? Une aventure sans lendemain avec l'acteur le plus sexy du monde. Mon grand fantasme !

— Tu envisages de redevenir citrouille au douzième coup de minuit ?

— De préférence à une heure plus avancée de la nuit, mais oui, c'est en effet mon intention. Et contrairement à Cendrillon, je ne laisserai pas traîner mes chaussures. Parce qu'il faut être réaliste. Tu crois vraiment qu'elle a été heureuse avec un homme qui faisait une fixation sur ses pieds ?

— Je ne me suis jamais posé la question, reconnut Gina. Mais si je comprends bien, tu voudrais que je te transforme en princesse d'un jour d'un coup de baguette magique. Tu es sûre que ça n'a rien à voir avec Martin ? J'imagine déjà sa tête quand il découvrira les photos du mariage dans *Celebrity*. Il va se mordre les doigts d'avoir raté une pareille occasion de figurer dans la rubrique mondaine.

Cette allusion à Martin n'eut pas l'effet escompté sur Jodie. Loin de se réjouir à l'idée de prendre sa revanche sur lui, elle fut envahie par un profond désenchantement. En soupirant, elle baissa les yeux sur sa tenue de travail. Un pantalon de jogging trop ample avec lequel elle n'avait jamais couru plus de dix mètres — pour traverser la cour les jours de pluie — et un grand T-shirt. Pas étonnant que Martin l'ait trompée. Elle était aussi sexy qu'une baleine…

— C'est sans espoir, n'est-ce pas ? Comment pourrais-je devenir svelte et élégante ? Même si j'avais six ans devant moi, je n'aurais aucune chance. Je vais faire tache au milieu de toutes ces vedettes au corps musclé et à la démarche féline.

— Cesse de dire des bêtises ! s'exclama Gina pendant que Jodie, de plus en plus déprimée, prenait un autre toast. Tu es au moins aussi séduisante que ta sœur. Qui entre nous soit dit est vraiment squelettique. Tu sais, contrairement à ce que les milieux de la mode veulent nous faire croire, ce n'est pas joli d'être trop maigre. Et de toute façon, ce qui compte, c'est le charme. Or avec ton sourire, tu en as à revendre.

Jodie réprima un gémissement de frustration. Certes, Gina était pleine de bonnes intentions, mais ce n'était pas ce genre de discours qui risquait de lui remonter le moral. Au contraire. Alors que sa sœur suscitait l'admiration pour son talent, sa beauté et son corps de rêve — Gina était bien la seule à la trouver trop maigre ! — elle-même n'était jamais complimentée que pour son « charmant sourire ».

Eh bien, elle en avait assez !

— Puisque mon sourire sera en compétition avec celui du sublime Charles Gray, je doute qu'il fasse grande impression. Et sur les photos, je serai « la fille vêtue d'un sac à fanfreluches, qui sourit niaisement ».

12

Avec une moue de dépit, Jodie se leva et ouvrit la porte du réfrigérateur. Heureusement qu'elle y gardait un bocal de chocolat à tartiner pour les moments critiques…

— Je plaisantais au sujet des fanfreluches, Jodie. Ta sœur a suffisamment de goût pour éviter ce genre d'erreur.

— Ça ne résout pas mon problème de poids. J'ai besoin de ton aide. Il me faut absolument un coach à domicile. Or, qui serait plus qualifié pour ce rôle que ma meilleure amie, qui partage tous mes secrets depuis la maternelle et connaît mes moindres faiblesses ? Qui d'autre pourrait savoir où je cache mes réserves de chocolat ? Cette drogue bienfaisante qui me procure le réconfort dont j'ai tant besoin…

— Arrête !

— C'est plus fort que moi, tu le sais bien. Toi, pour lutter contre le stress, tu cours pendant quelques kilomètres, tandis que moi, je m'empiffre. Il a suffi que ma mère prononce les mots « régime miracle » pour que je sois prise d'une crise d'angoisse. S'il te plaît, viens habiter chez moi pour me surveiller jusqu'au mariage.

— Ce serait avec plaisir, mais…

— Mais ? Ne me dis pas « mais » ! Ça décuple mon angoisse.

— Mais c'est impossible, reprit Gina, imperturbable. J'allais justement t'appeler pour te demander ce que tu aimerais que je te rapporte de Los Angeles.

— Los Angeles ?

— Mon patron m'envoie aux Etats-Unis pour étudier les dernières tendances du secteur de la remise en forme. Je pars demain matin.

Jodie en oublia momentanément ses problèmes.

— C'est génial !

— Je dois avouer que j'ai l'impression de vivre un conte de fées. D'abord, il m'a donné carte blanche pour recruter mon équipe au club. Et à présent il m'offre un voyage professionnel en Californie. Non seulement je peux enfin concilier ma formation en gestion d'entreprise et ma passion pour le sport, mais en plus je voyage !

Après avoir donné des cours de gymnastique le soir pendant plusieurs années, Gina était à présent directrice du Club du Lac, le centre de remise en forme d'un luxueux complexe hôtelier qui avait ouvert depuis peu.

— Quelle chance ! Je suis ravie pour toi, Gina, déclara Jodie avec sincérité.

Puis elle se rappela soudain que cette bonne nouvelle contrariait ses projets.

— Mais je préférerais que tu partes à un autre moment. Tu ne pourrais pas repousser ton départ de quelques semaines ?

— Pas question. Cependant, je vais te donner un excellent conseil. Ne te lance pas dans un régime « miracle » : ça n'existe pas.

— Pourtant…

— Je t'assure. Contente-toi de supprimer les aliments hypercaloriques — je n'ai pas besoin de te faire la liste, tu les connais aussi bien que moi — et de prendre un peu d'exercice. Si tu veux, je peux te proposer les services d'un coach, qui établira avec toi un programme de remise en forme personnalisé et te soutiendra dans tes efforts.

— Le problème c'est que j'ai besoin d'être placée sous haute surveillance vingt-quatre heures sur vingt-quatre. En ce moment, par exemple, je sors du réfrigérateur un bocal de chocolat à tartiner.

Elle avait fini par le retrouver au fond du bac à salade, où elle l'avait caché pour ne pas être trop tentée. Malheureusement, il ne restait dedans qu'une demi-cuillerée à café. Toutefois, Gina n'en savait rien...

— Et je m'apprête à en étaler une couche de deux centimètres sur un toast à peu près aussi épais, annonça-t-elle.

Après tout, ce n'était qu'un léger travestissement de la vérité. Et de toute façon, le toast, lui, était bien réel. L'approchant du combiné, elle croqua bruyamment dedans.

— C'est du pain blanc, précisa-t-elle, la bouche pleine.

Gina pouffa.

— Inutile de te fatiguer, Jodie. Rien ne pourra m'empêcher de prendre mon avion. De toute façon, tu n'as aucune raison de t'angoisser. Choisis une robe suffisamment décolletée et tu éclipseras les stars les plus éblouissantes, crois-moi. Je suis prête à parier que Charles Gray est saturé de grandes perches qui n'ont que la peau sur les os. Et si Martin Jackson t'a trompée, ce n'est pas à cause de quelques kilos soi-disant superflus, mais tout simplement parce que c'est un parfait...

Jodie mordit de nouveau dans son toast en le faisant croustiller exagérément, pour éviter d'entendre le qualificatif peu flatteur employé par Gina. Elle savait exactement à quoi s'en tenir au sujet de Martin. Malheureusement, ça ne rendait pas moins insupportable le fait qu'il l'ait trahie avec une fille filiforme.

— Peut-être, mais depuis, le nombre de mes kilos « superflus » n'a fait qu'augmenter, fit-elle valoir quand elle eut avalé sa bouchée de pain. Et je n'ai que six semaines pour me fabriquer un corps de danseuse qui fera naître chez Charles Gray un désir irrépressible.

— D'accord, d'accord. Si tu y tiens vraiment, la première chose à faire, c'est te débarrasser du chocolat à tartiner et de toutes les autres cochonneries sur lesquelles tu te jettes à la moindre contrariété.

— Si c'était aussi simple que ça, ton patron ne t'enverrait pas à Los Angeles piquer tous leurs secrets aux Californiens.

— Je n'ai jamais prétendu que ce serait suffisant. Mais ne t'inquiète pas, Cendrillon ira au bal. Je vais te confier à Angie. C'est le coach qu'il te faut. Non seulement elle saura te stimuler pendant les séances de gymnastique, mais tu pourras toujours compter sur elle pour te remonter le moral par téléphone les jours où tu seras tentée par un triple cheese-burger avec des frites.

— Par téléphone ça ne marchera pas. Il faudra qu'elle soit à côté de moi pour me l'enlever des mains.

— Angie a un mari et des enfants, figure-toi. Elle n'a pas le temps de jouer les baby-sitters. En revanche, elle t'apportera un soutien et des conseils aussi précieux que les miens, tu peux en être sûre. Je vais la prévenir.

— S'il n'y a pas d'autre solution…

— Présente-toi au club à 8 heures demain matin. Angie prendra une photo de toi « avant », que tu fixeras sur la porte de ton réfrigérateur comme arme de dissuasion contre les fringales. Je ne te cache pas que tu vas souffrir, Jodie. Si tu veux obtenir des résultats, tu devras suivre à la lettre les instructions d'Angie. Pas question de tricher.

— Je te promets de faire de mon mieux. Mais dis-moi, ma nouvelle silhouette va-t-elle me coûter très cher ?

— Oh, je vois. Tu espères obtenir un tarif spécial « meilleure amie ».

— Je suis artiste…

— Arrête, tu vas me faire pleurer. Il me semble que tu ne fais pas partie de ceux qui sont le plus à plaindre. Par ailleurs, tu as moins de chances de suivre sérieusement ton programme de remise en forme s'il ne te coûte rien. Cependant, ajouta aussitôt Gina pour couper court aux protestations de Jodie, si tu l'appliques scrupuleusement jusqu'au jour J, je veux bien te faire une faveur.

— Gina, tu es la plus…

— Je te propose un abonnement gratuit de trois mois au club, comprenant l'utilisation de tous les équipements et les services d'un coach personnel.

— C'est…

— En échange, je te demanderai un panneau pour décorer la réception. Il y a un immense mur nu qui rêve de se parer d'un Jodie Layton.

— Aïe.

— Les affaires sont les affaires, et je tiens à me montrer digne de la confiance que m'accorde mon patron. Bien sûr, si malgré tout le programme échouait, j'oublierais le panneau et je te ferais payer le prix normal. Et crois-moi, tu n'en as pas les moyens.

Jodie n'hésita pas longtemps. Le club était fréquenté par une clientèle huppée et pouvoir y exposer en permanence une de ses œuvres était une véritable aubaine. C'était une raison supplémentaire de se mettre sérieusement au sport et au régime. Elle eut un sourire attendri. Gina était vraiment la meilleure amie du monde.

— Marché conclu. Demain matin, j'emporterai mon appareil numérique pour prendre des photos du club. Ça m'inspirera pour préparer des esquisses pendant ton absence.

— Parfait. Et n'oublie pas ton invitation au mariage. Même si Charles Gray n'a d'yeux que pour la demoiselle d'honneur, je trouverai bien un autre sex-symbol à séduire.

— Un problème ?

Depuis vingt minutes, Brad Morgan, calé dans son fauteuil, regardait par la fenêtre de son bureau situé au dernier étage d'un immeuble londonien.

— Qu'est-ce qui vous fait croire que j'ai un problème ? répliqua-t-il sans se retourner.

— Depuis quelques jours, vous semblez complètement ailleurs, répondit Penny, sa secrétaire, en déposant une tasse de café sur son bureau. Si vous avez besoin de vous confier…

— Non.

— Est-ce une femme ? insista-t-elle sans se démonter.

— Je ne vois pas en quoi une femme pourrait me poser un problème.

— *Mea culpa*. Il est vrai que vous ne les gardez pas assez longtemps pour qu'elles vous compliquent la vie. Vous en changez à chaque saison, bien qu'elles soient toutes bâties sur le même modèle. Grandes, minces, élégantes, à la recherche d'un homme grand, riche, élégant, qui les exhibe dans tous les endroits où il faut être vu... Si ce n'est pas une femme qui vous préoccupe, est-ce le nouveau club ?

— Non. Les résultats du Club du Lac dépassent déjà mes espérances. Aucun problème de ce côté-là non plus.

— Alors pourquoi avez-vous brusquement décidé d'y passer les prochaines semaines ?

— Il faut quelqu'un pour remplacer Gina pendant son absence.

— Vous ? s'exclama Penny sans chercher à dissimuler son étonnement.

— C'est une occasion de voir de près comment fonctionne le centre et d'évaluer l'équipe qu'elle a recrutée.

Il fit pivoter son fauteuil pour faire face à son interlocutrice.

— Après un séjour prolongé sur place, je serai plus à même de choisir celui ou celle qui prendra sa succession.

— Vous voulez vous séparer de Gina ? Je croyais que c'était une vraie perle !

— En effet. C'est pour cette raison que j'envisage de lui confier la direction générale du département de remise en forme d'ici la fin de l'année. Pourquoi n'iriez-vous pas passer quelques jours de congé là-bas ? Vous pourriez me donner vos impressions sur la qualité des prestations.

Elle eut une moue dédaigneuse.

— Non, merci. Je ne mélange jamais le travail et le plaisir. Mais si vous tenez à emmener quelqu'un pour tester le centre, je suis sûr que vous n'aurez aucun mal à trouver une femme grande, mince, élégante…

— Je suis comme vous, Penny. Je ne mélange jamais le travail et le plaisir. Et je vous remercie pour votre sollicitude, mais je n'ai aucun problème. Je me sens juste un peu désœuvré, comme d'habitude après l'achèvement d'un projet.

Le Club du Lac, qui comprenait une résidence hôtelière, un centre de remise en forme et un centre de conférences, était à ce jour sa réalisation la plus ambitieuse. Son sentiment de vide était proportionnel à l'ampleur du projet qu'il avait mené à bien, voilà tout.

— Vous avez besoin d'un nouveau défi.

— Oui, mais lequel ?

Sa chaîne de clubs haut de gamme était déjà à la pointe du progrès en matière de remise en forme. Et même si Gina rapportait quelques idées originales de Californie, celles-ci ne suffiraient pas à étancher sa soif d'innovation.

Or ce qu'il craignait le plus au monde, c'était la routine. Un piège auquel il avait échappé dans sa vie antérieure, quand il était joueur international de rugby. Et pour cause. Il venait d'arriver au faîte de la gloire quand sa carrière avait été brutalement interrompue à la suite d'une blessure.

Faisant appel à toute son énergie pour ne pas sombrer dans le désespoir, il était reparti de zéro, mais cette fois dans les affaires. Aujourd'hui, avec le Club du Lac, le fleuron de son groupe, il venait de nouveau d'atteindre le sommet et se sentait menacé par l'ennui. Sa secrétaire avait raison. Il lui fallait un nouvel objectif, de préférence très difficile à atteindre, pour lequel il serait obligé de se battre avec acharnement.

En attendant, passer une quinzaine de jours au Club du Lac lui changerait peut-être les idées.

Jodie résista à la tentation de plonger la main dans le bocal de chocolat à tartiner pour en racler le fond.

— A partir de maintenant, plus question de me laisser aller, déclara-t-elle fermement à voix haute.

Elle sortit de la cuisine et traversa la cour jusqu'à son atelier. Après avoir relevé ses cheveux en un chignon très approximatif, elle alluma son ordinateur. Travailler chez soi présentait de nombreux avantages, songea-t-elle avec satisfaction. Pas besoin de s'accoutrer de façon bon chic bon genre ni de passer des heures le matin à se coiffer et à se maquiller. Par ailleurs, elle organisait son emploi du temps comme bon lui semblait et n'avait jamais droit à la cohue dans les transports.

Et puis elle ne courait aucun risque d'être distraite dans son travail par des hommes sexy traînant autour de la machine à café…

Toutefois, depuis qu'elle avait quitté Martin, et dans la foulée, son poste de professeur à l'université de Melchester, son combat permanent contre l'embonpoint était devenu encore plus ardu. Certes, sans homme ni étudiants pour l'accaparer, elle avait plus de temps à consacrer à son travail de création, mais sa consommation de « cochonneries », comme disait Gina, avait monté en flèche. Et comme elle n'avait même plus besoin de marcher pour se rendre au travail, ce style de vie avait sur sa silhouette un effet désastreux.

Le mariage de Natasha était l'occasion idéale pour se reprendre en main. Peut-être même pourrait-elle de nouveau rentrer un jour dans sa petite robe noire préférée. Celle qui aujourd'hui se bloquait au niveau de la taille, refusant de glisser sur ses hanches…

La perspective de figurer en photo dans *Celebrity* au bras du sublime Charles Gray devrait être une motivation suffisante, même pour la plus incorrigible des goinfres.

Et, bien sûr, l'occasion de prouver à Martin l'énormité de son erreur.

Le Club du Lac, situé sur la rive d'un lac artificiel créé dans une ancienne carrière, s'harmonisait parfaitement avec le paysage. La plupart des bâtiments de pierre étaient de plain-pied et chaque studio bénéficiait d'un appontement en bois.

Visité à cette heure matinale par les canards et les cygnes sauvages, le club offrait un cadre sans commune mesure avec les salles municipales dans lesquelles Gina donnait ses cours avant de décrocher ce poste de directrice.

Jodie gara sur le parking sa vieille camionnette — dont elle avait décoré de dessins aux couleurs vives la carrosserie toute cabossée et qui jurait avec les voitures luxueuses déjà en stationnement. Puis elle se dirigea vers le quai, où étaient amarrés divers bateaux, et passa de longues minutes à prendre des photos des différents pavillons et du paysage, retardant le plus possible le moment de se présenter à la réception du centre de remise en forme.

Finalement, elle se décida à se diriger vers l'entrée. Il ne fallait pas se laisser impressionner par toutes ces créatures à l'allure sportive qui, après une séance de sport matinale, s'apprêtaient à attaquer leur journée de travail, vibrantes d'énergie, se dit-elle fermement.

Ni par les réceptionnistes, véritables publicités vivantes pour le centre de remise en forme avec leur corps de rêve, leur sourire éclatant et leur teint hâlé, mis en valeur par leur survêtement bleu roi, uniforme du personnel…

Elle s'immobilisa au milieu du hall de réception. Dans quelle galère était-elle sur le point de s'embarquer ? Elle avait commis une grave erreur de jugement. Le Club du Lac n'était pas un endroit pour elle.

Pivotant sur elle-même, elle fit demi-tour. Mieux valait prendre la poudre d'escampette avant qu'Angie lui saute dessus et lui fasse subir les pires supplices… Elle s'en tiendrait au régime dont sa mère lui avait finalement apporté en personne le mode d'emploi la veille au soir. Sans doute pour éviter que son vilain petit canard de fille aînée puisse prétexter ne pas l'avoir reçu…

Pour l'encourager, elle lui avait également remis cinq litres de soupe au chou et une balance, en lui rappelant qu'avoir été choisie comme première demoiselle d'honneur par Natasha était un immense privilège dont elle devait se montrer digne. Sous-entendu : Natasha aurait très bien pu choisir n'importe quelle vedette belle et

23

mince comme elle, au lieu d'insister charitablement pour confier ce rôle de premier plan à sa sœur.

Oui, c'était décidé, elle s'en tiendrait au régime miracle de sa mère. Elle irait faire toutes ses courses à pied. En marche rapide. Et elle jetterait le sac géant de bonbons à la menthe dissimulé au fond du tiroir de son bureau. S'imposer une certaine discipline ne devait pas être si difficile. Tout au fond d'elle-même, elle avait la volonté nécessaire pour réfréner ses mauvais instincts. C'était certain...

Plongée dans ses pensées, elle ne vit pas le luxueux sac de sport qu'un membre du club avait posé par terre le temps de renouer ses lacets. Trébuchant dessus, elle cessa aussitôt de se torturer l'esprit avec ses problèmes de régime. Pour l'instant, il y avait plus urgent : éviter de s'étaler de tout son long au milieu de la réception. Quand on avait décidé de s'éclipser discrètement, mieux valait éviter de se faire remarquer...

Avec de grands moulinets des deux bras, Jodie tenta désespérément de garder l'équilibre. En vain. Au moment où elle se résignait à l'inéluctable — le choc brutal de sa rencontre avec le sol — elle sentit deux poignes d'acier lui enserrer les bras et l'arrêter dans sa chute, tandis qu'elle se cognait le front contre un torse dur comme un mur de pierre.

Au même instant, le propriétaire du sac ramassa ce dernier, l'essuya soigneusement en la fusillant du regard et s'en alla sans un mot.

— Excusez-moi d'avoir failli tomber à cause de votre superbe sac ! cria-t-elle avec indignation au moment où la porte se refermait derrière lui.

— Peut-être que si vous aviez regardé où vous alliez…, suggéra le propriétaire des mains en la relâchant.

Oh, super. En prime, elle allait avoir droit à un sermon… Décidément, elle avait bien fait de se lever à l'aube ce matin. La journée s'annonçait fantastique !

— Vous avez raison, persifla-t-elle. Je suis impardonnable. D'ailleurs, je vais renoncer à m'inscrire au club. Ma demande serait rejetée pour cause d'agression contre un sac de sport.

S'étant défoulée, elle retrouva ses bonnes manières et se tourna vers son sauveur pour le remercier. Certes, vu la force avec laquelle il les avait serrés, elle allait sûrement avoir des hématomes sur les bras. Mais c'était tout de même un moindre mal.

— Merci de m'avoir rattrapée, dit-elle poliment.

— A votre service, répliqua-t-il avec l'ombre d'un sourire.

Ayant repris ses esprits, elle l'observa plus attentivement. Son visage buriné et les quelques mèches grisonnantes qui parsemaient sa chevelure noir de jais lui donnaient un charme envoûtant. Grand et élancé, il avait néanmoins une carrure impressionnante, mise en valeur par son T-shirt délavé, qui moulait son torse et découvrait ses bras musclés.

Il émanait de cet homme une virilité et une assurance qui donnaient des airs de gringalets aux nombreux jeunes gens en costume Armani traversant le hall avant ou après leur séance d'entraînement.

— C'est la première fois que vous venez ici ? demanda-t-il.

Jodie dut faire un effort pour s'arracher à ses pensées. Qui prenaient un cours plutôt inattendu, à vrai dire.

Bien sûr, en tant qu'artiste, elle était particulièrement sensible à l'harmonie des formes. Or cet homme ferait un merveilleux modèle pour un cours de dessin. Quant à ses yeux bleu outremer, ils représentaient sans conteste un atout supplémentaire...

— Ne vous laissez pas décourager par cet incident, poursuivit-il d'une voix profonde. Ce serait dommage de ne pas profiter de tout ce que le club peut vous apporter. Avez-vous besoin d'aide ?

— Eh bien...

Deux jeunes filles aux jambes interminables passèrent à côté d'eux, les cheveux brillants et souples, le maquillage impeccable.

Réprimant un gémissement, Jodie se maudit intérieurement. Ses propres cheveux étaient d'un châtain clair sans éclat, et comme à son habitude, elle s'était contentée de les attacher à l'aide de la première barrette qui lui était tombée sous la main — un tigre de dessin animé qu'elle avait trouvé au rayon enfant du supermarché et auquel elle n'avait pas pu résister...

Pire encore, elle n'avait pas jugé bon d'appliquer sur son visage autre chose qu'une crème hydratante. Se maquiller pour aller faire du sport lui avait semblé une hérésie. Quelle erreur ! Son compagnon suivait des yeux les deux jeunes filles, et dans son regard brillait la lueur qu'elle espérait allumer dans celui de Charles Gray.

Si elle voulait que son rêve se réalise, ce n'était pas le moment de renoncer à ses bonnes résolutions. Se ressaisissant, elle déclara :

— Vous avez raison. Je vais aller me présenter à la réceptionniste.

26

— Dans ce cas, je vous laisse. Et surtout, détendez-vous. Je suis sûr que vous ne regretterez pas votre décision.

— Vraiment ?

— Vraiment.

Après l'avoir saluée d'un signe de tête, il s'éloigna. Elle constata alors qu'il boitait légèrement.

— Oh !

Il s'immobilisa et se retourna vers elle.

— Oui ?

— Est-ce moi qui vous ai fait mal ?

Dire qu'elle avait trouvé malin de s'en prendre à cet idiot et à son précieux sac au lieu de s'assurer qu'elle n'avait causé aucun dégât !

— Je suis vraiment désolée.

La mâchoire de l'homme se crispa imperceptiblement.

— Il n'y a pas de quoi. C'est une vieille blessure. Vous n'y êtes pour rien.

— Tant mieux ! Enfin…, non…, ce n'est pas ce que je voulais dire…

Jodie se fustigea intérieurement. Quelle maladresse !

L'homme n'attendit pas qu'elle batte tous ses records de stupidité. S'éloignant d'un pas rapide malgré sa légère claudication, il disparut derrière la porte ouvrant sur les locaux administratifs.

2.

— Quelle idiote ! marmonna Jodie.

De toute évidence, la blessure de son sauveur était
un sujet sensible, et comme à son habitude, elle avait
mis les pieds dans le plat…

S'efforçant de surmonter un sentiment de culpabilité
totalement disproportionné, elle prit une profonde inspiration et se dirigea vers le comptoir de la réception.

— Bonjour. Je suis Jodie Layton. Gina m'a dit de
me présenter ce matin pour prendre livraison de mon
nouveau corps. J'en ai commandé un beaucoup plus
mince et avec quelques centimètres de plus en hauteur.
Elle a dû le mettre de côté dans son bureau.

— Pardon ?

Apparemment, ses plaisanteries ne faisaient pas
mouche…

— Excusez-moi. Je recommence. Bonjour. Je suis
Jodie Layton. Gina m'a dit de me présenter ce matin
pour commencer un programme de remise en forme
sous la direction d'Angie.

— Vous êtes la sœur de Natasha Layton ?

Jodie ne fut pas surprise par l'air incrédule de la
jeune femme. Ce regard stupéfait, elle y avait systéma-

28

tiquement droit depuis que sa petite sœur avait accédé aux feux de la rampe après une série interminable de cours de danse, de chant et d'art dramatique. Mais elle avait beau y être habituée, ce genre de réaction restait toujours aussi pénible...

— En effet, je suis la sœur de Natasha Layton.

Plus petite, plus grosse, moins belle, mais tout aussi talentueuse, ajouta-t-elle *in petto*. Ses œuvres avaient été primées à plusieurs reprises, mais bien sûr, le métier de créatrice de tissus était moins prestigieux que celui d'actrice.

Non qu'elle envie Natasha. Jamais elle ne pourrait mener sa vie. Ne pas pouvoir faire un saut à l'épicerie du coin incognito, quel cauchemar ! Etre obligée de jouer sans cesse à cache-cache avec les paparazzi lui serait insupportable. Non, elle n'enviait pas du tout sa sœur.

Toutefois, il fallait bien reconnaître qu'il ne lui déplairait pas qu'au moins une fois quelqu'un dise à Natasha : « Vous êtes la sœur de Jodie Layton ? »

Rêve impossible.

— Si vous voulez bien remplir ce formulaire, dit la réceptionniste avec un sourire. Nous en avons besoin pour l'assurance. Pendant ce temps, je vais chercher Angie.

Brad raccrocha le téléphone, nota quelque chose sur un papier, puis s'enfonça dans son fauteuil en se massant le genou. La douleur s'était réveillée quand cette petite écervelée lui était rentrée dedans.

Ecervelée mais charmante… Il fronça les sourcils. Son visage avait quelque chose de familier. Cependant, s'ils s'étaient déjà rencontrés, il s'en serait souvenu.

Il se surprit à sourire. Ce n'était pas le genre de femme qu'on oubliait…

— Oh, excuse-moi, Brad. Je te croyais au gymnase.

— J'y vais, répliqua-t-il à la réceptionniste qui se tenait sur le seuil du local administratif, un dossier à la main. Je me suis juste arrêté pour répondre au téléphone. Tu as besoin de quelque chose, Lucy ?

— Je cherche Angie. Gina l'a chargée de s'occuper personnellement d'une nouvelle cliente.

— C'est son mari qui vient d'appeler. Elle a été hospitalisée d'urgence. On pense que c'est une crise d'appendicite. Pourras-tu lui envoyer des fleurs, s'il te plaît ?

— Pas de problème. Mais que dois-je faire pour ses cours ? Et pour Mlle Layton ?

— Je te laisse régler le problème des cours et je me charge de Mlle Layton.

Jodie tendit le formulaire à la réceptionniste, qui venait de revenir.

— Vous le donnerez à Brad. Si vous voulez bien me suivre jusqu'à son bureau.

— Brad ? Qui est Brad ? Qu'est-il arrivé à Angie ?

— Elle est malade.

— Est-ce autorisé quand on travaille dans un club de remise en forme ?

— Par ici, dit la jeune femme sans sourciller.

Jodie la suivit en se morigénant. Le sport était une chose sérieuse avec laquelle il ne fallait pas plaisanter. Ne pouvait-elle pas se mettre ça dans la tête ?

— Brad, je te présente Jodie Layton.

La réceptionniste s'effaça pour la laisser entrer et referma la porte derrière elle. La laissant en tête à tête avec l'homme à la poigne d'acier et aux yeux outremer qu'elle venait d'offenser...

Pas de doute, ce matin elle aurait mieux fait de rester au lit.

— Re-bonjour, dit-elle d'un ton qu'elle espérait léger.

Il leva les yeux du dossier qu'il était en train de consulter et la regarda pendant les cinq secondes les plus longues de l'histoire de l'humanité. Que signifiait cette ébauche de sourire sur ses lèvres sensuelles ?

— Asseyez-vous, mademoiselle Layton.

— Jodie, rectifia-t-elle sans bouger.

En principe, on ne l'appelait « mademoiselle Layton » que quand on avait quelque chose de désagréable à lui dire.

— Jodie, répéta-t-il. Vous êtes une amie de Gina ?

— Nous avons trempé nos doigts dans les mêmes pots de peinture à la maternelle. Par la suite, j'ai continué de barbouiller pendant qu'elle découvrait les joies du sport. Vous êtes... ?

— Brad Morgan. Si vous voulez bien vous asseoir pendant que je jette un coup d'œil aux notes que Gina a laissées pour Angie.

— Ne croyez-vous pas que je brûlerai plus de calories si je reste debout ? Je n'ai pas beaucoup de temps pour me fabriquer une nouvelle silhouette.

— Assise ou debout, ça ne fera pas une grande différence. Voulez-vous du café ?

— Du café ?

La situation semblait s'améliorer, songea-t-elle en s'asseyant.

— C'est autorisé ?

— Ce n'est pas recommandé, reconnut-il. Mais…

— Vous pensez que ça ne fera pas une grande différence ?

Visiblement, il avait du mal à contenir son hilarité, constata Jodie avec satisfaction. Sans attendre sa réponse, elle ajouta :

— Je préfère quand même m'abstenir.

Pas si bête. Elle avait pris la précaution de faire le plein de caféine avant de partir de chez elle.

— Je n'avais pas compris que vous travailliez ici, reprit-elle avec un sourire éblouissant.

Histoire de lui montrer à quoi ça ressemblait, un vrai sourire…

Il sembla hésiter une fraction de seconde avant de répondre.

— Ne vous laissez pas induire en erreur par le fait que je boite. Ça ne m'empêche pas d'être un coach redoutable.

Allons bon, voilà qu'il se vexait de nouveau, songea-t-elle avec agacement. Mais cette fois, elle n'y était pour rien. C'était lui qui interprétait ses propos de travers. Ce qu'il pouvait être susceptible !

— C'est votre tenue qui m'a induite en erreur, expliqua-t-elle.

Son pantalon de jogging gris et son T-shirt délavé, passablement usés tous les deux, juraient avec l'uni-

32

forme flambant neuf du reste du personnel. Cet homme ne correspondait pas du tout à l'image sophistiquée du Club du Lac.

Comme il restait silencieux, elle demanda étourdiment :

— Votre survêtement bleu est au nettoyage ?

De nouveau, Brad dut faire appel à toute sa volonté pour ne pas éclater de rire. Avec sa silhouette sortie tout droit d'un tableau de Rubens, ses cheveux coiffés à la diable et son visage exempt de tout maquillage, Jodie Layton ne correspondait pas du tout à l'image sophistiquée du Club du Lac. Les femmes qui fréquentaient l'établissement étaient en général plus soucieuses de leur apparence.

Et beaucoup moins attirantes.

Etait-ce son naturel qui lui donnait tant de charme ? Il y avait bien longtemps que personne ne s'était adressé à lui avec une telle spontanéité. Son attitude était rafraîchissante. Quant à son sourire…

Il tendit la main.

— Puis-je voir votre carte ?

Il jeta un coup d'œil perplexe sur cette dernière. Apparemment, Gina avait accordé à Jodie Layton un abonnement gratuit de trois mois. Pourquoi ? Elle avait sans doute une bonne raison. En attendant d'en savoir plus, mieux valait ne pas remettre en question ces conditions préférentielles.

— Je vois d'après les notes de Gina que vous espérez perdre deux tailles.

— Ce n'est pas un simple espoir. C'est absolument vital.

— En six semaines ?

Elle resta silencieuse, la mine sombre.

— C'est bien cela ? reprit son interlocuteur.

— Non... enfin, oui...

Brad se cala dans son fauteuil.

— Peut-être aimeriez-vous vous accorder un temps de réflexion ? suggéra-t-il d'un ton neutre.

— Non. C'est moi qui ai fixé ce délai à Gina. Mais ma mère est passée chez moi ce matin, et apparemment, le dernier essayage de la robe doit avoir lieu dans trois semaines au plus tard.

Il arqua les sourcils.

— La robe ? Vous vous mariez ?

Elle devint écarlate.

— Est-ce si invraisemblable ?

— Pas du tout, protesta-t-il aussitôt, pris de remords.

Il n'aurait pas dû laisser transparaître son étonnement. D'ailleurs pourquoi était-il si surpris ? Pour quelle raison était-il intimement persuadé qu'elle n'était pas sur le point de se marier ?

En tout cas, la colère lui allait bien. Ses yeux verts dardaient sur lui un regard étincelant et elle semblait prête à mordre. Tout à coup, il fut pris d'une envie irrésistible de la serrer dans ses bras.

Elle ferait une mariée superbe, et il n'était pas question de lui laisser croire le contraire une seconde de plus.

— Si j'ai eu l'air étonné, c'est parce que vous ne portez pas de bague de fiançailles, déclara-t-il d'une voix douce. Et puis vous vous y prenez un peu tard pour vous occuper de votre silhouette.

A moins bien sûr que ce ne soit un mariage précipité, songea-t-il. Il s'empressa de consulter le formulaire. Elle avait laissé en blanc la rubrique concernant son état général.

— Si vous êtes enceinte, vous auriez dû le signaler.

Le regard de Jodie s'éteignit instantanément et son visage se ferma.

— Merci !

C'était comme si un nuage venait de masquer le soleil, se dit-il, impressionné. Il fallait avouer que son commentaire n'était vraiment pas flatteur. Décidément, il accumulait les gaffes...

— Ne croyez pas...

— Pour votre information, c'est ma sœur qui a décidé de se mettre la corde au cou, coupa-t-elle d'un ton exagérément enjoué. Etant plus âgée qu'elle, je suis plus réaliste et très attachée à ma liberté. J'ai simplement été enrôlée pour empêcher les garçons d'honneur de glisser des souris blanches dans l'encolure des demoiselles d'honneur. Au moins pendant la cérémonie religieuse... Je suis la première demoiselle d'honneur, précisa-t-elle.

Au cas où, en plus d'être mufle, il serait stupide, songea Brad avec dérision. Curieusement, il n'était pas si désagréable d'être ainsi remis à sa place.

— Vous allez certainement beaucoup vous amuser.

Elle eut une moue désabusée.

— Je n'en suis pas convaincue. Et si je dois m'attifer d'une robe longue et moulante, j'apprécierais beaucoup qu'elle ne craque pas à chaque fois que je suis obligée de faire un mouvement brusque.

Tout à coup, comme un rayon de soleil qui parvient à percer les nuages, un sourire ravi illumina son visage.

— Heureusement, ce rôle comporte également des avantages, ajouta-t-elle. Car il est de tradition que la demoiselle d'honneur et le témoin…

Ecarlate, elle se tut brusquement.

Elle rougissait ? Comme c'était délicieux ! pensa Brad. Et inattendu. Quel âge pouvait-elle avoir ? Il jeta un coup d'œil au formulaire. Elle avait indiqué vingt-six ans. Si elle était en classe avec Gina, il pouvait rajouter au moins un an. Peut-être deux. Ce qui laissait supposer que tous les autres chiffres qu'elle avait notés était également en deçà de la vérité.

— Je comprends, déclara-t-il. Vous pensez que le témoin sera plus sensible à votre charme si votre silhouette est un peu moins…

Il s'interrompit. Décidément, il ne perdait pas une occasion de commettre un impair…

— Difforme ? suggéra-t-elle d'un air de défi.

Sans attendre de confirmation, elle se pencha en avant pour prendre son agenda dans le grand sac de toile qu'elle avait posé à ses pieds. Brad sentit sa gorge se nouer. Se rendait-elle compte qu'il avait une vue plongeante sur ses seins ? Cette poitrine généreuse était diabolique… Manifestement inconsciente de l'effet qu'elle lui faisait, elle se redressa et se mit à feuilleter l'agenda.

— Le dernier essayage est fixé au 13 avril, annonça-t-elle. Vous pensez que d'ici là, j'ai des chances d'obtenir des résultats ?

Ses lèvres pulpeuses étaient une véritable invitation au baiser, se dit-il en déglutissant péniblement.

— Trois semaines…, murmura-t-il en s'efforçant de se concentrer sur le problème qui la préoccupait. Avec un régime raisonnable, vous pouvez perdre trois kilos. Peut-être un peu plus si vos habitudes alimentaires sont particulièrement mauvaises.

— Je compte en perdre vingt.

— Nous sommes opposés aux régimes accélérés, répliqua-t-il en réprimant une furieuse envie de la traiter d'irresponsable. Ils sont dangereux et ne permettent pas de stabiliser le poids. En revanche, un peu d'exercice permettra de tonifier vos muscles, ce qui est aussi important que de perdre des kilos. Cependant, il faut savoir que la clé de la réussite réside dans la régularité de l'effort.

Il s'efforça de prendre un air sévère.

— A quel point êtes-vous motivée ?

— A quel point ?

— Je comprends votre désir de mincir pour le mariage de votre sœur, mais je préférerais que vous envisagiez votre remise en forme à plus long terme.

— J'en ai déjà discuté avec Gina. Votre directrice, précisa-t-elle avec insistance. J'ai donc déjà eu droit au laïus de rigueur, d'accord ?

Il se mordit la lèvre, réprimant un sourire.

— D'accord. Je trouve simplement dommage de vous astreindre à un programme de remise en forme draconien pour une seule et unique journée.

Elle se pencha vers lui. Avait-elle décidé de le rendre fou ? se demanda-t-il en détournant les yeux.

— Laissez-moi vous dire que ce n'est pas n'importe quelle journée, déclara-t-elle d'un ton solennel. Ce n'est peut-être pas moi qui me marie, mais si je vous explique que le témoin sera Charles Gray, je suppose que vous comprendrez mieux pourquoi je tiens tant à perdre du poids ?

— Charles Gray ? répéta-t-il d'un air distrait.

— Ne me dites pas que vous ne savez pas de qui il s'agit ?

Il s'efforça de se concentrer sur ses propos.

— Désolé, mais je ne…

— L'acteur ? insista-t-elle. Yeux turquoise au regard pénétrant, cheveux couleur de blé, et une paire de fesses à se damner…

Elle fronça les sourcils.

— A moins bien sûr qu'il n'utilise une doublure dans ce film où…

— D'accord, je vois de qui vous voulez parler, coupa-t-il plus brusquement qu'il ne l'aurait voulu.

Il avait entendu parler de Charles Gray, bien sûr. Simplement, il ne lui était pas venu à l'idée d'établir un lien entre Jodie Layton et une star du cinéma… Soudain, il eut une illumination.

Jodie Layton.

— Vous êtes la sœur de Natasha Layton ? Excusez-moi, je n'avais pas fait le rapprochement.

Il avait vu ce matin même une photo de l'actrice à la une de son journal. Même la presse la plus sérieuse traitait l'annonce de son prochain mariage comme une nouvelle de première importance.

38

— Inutile de vous excuser. Ça surprend tout le monde. Notre mère elle-même a du mal à croire que nous soyons issues de la même pépinière.

— Détrompez-vous. Quand nous nous sommes rencontrés dans le hall, j'ai toute de suite eu l'impression de vous avoir déjà vue. Il y a un air de famille entre vous.

A en juger par le regard noir qu'elle dardait sur lui, elle n'était pas convaincue, songea-t-il. Pourtant, les deux sœurs avaient le même regard et la même forme de visage. Même si celui de Jodie était nettement moins anguleux… Et il était vrai qu'elles n'avaient pas non plus la même silhouette.

Problème que Jodie voulait résoudre. Rapidement.

Pour Charles Gray.

A présent, il comprenait mieux pourquoi Gina lui avait accordé trois mois d'abonnement gratuit. Pendant un moment, il avait craint qu'elle ne profite de son poste pour privilégier ses amis. Ce qui l'aurait d'autant plus déçu qu'il la tenait en très haute estime.

Elle avait noté sur le dossier « Arrangement spécial » et laissé des instructions à Angie pour qu'elle prenne des photos de Jodie « avant », « pendant » et « après ». Certes, c'était une pratique courante, très prisée des clients, qui y trouvaient une motivation supplémentaire. Mais de toute évidence, dans le cas de Jodie Layton, ces clichés étaient destinés à illustrer un article sur sa « métamorphose » dans un magazine féminin.

D'où le traitement de faveur. Même si Jodie était son amie, Gina avait également agi dans l'intérêt du club, qui bénéficierait d'une publicité appréciable. Cet arrangement était avantageux pour les deux parties.

En tout cas, Jodie avait manifestement décidé de jouer le jeu à fond. C'était sûrement la raison pour laquelle elle avait choisi de s'accoutrer d'un pantalon de jogging informe et de se coiffer d'une manière aussi ridicule. Une tenue aussi peu flatteuse permettrait d'accentuer l'aspect spectaculaire de sa transformation.

Il y avait un seul problème. Angie étant à l'hôpital, il manquait la bonne fée et sa baguette magique. Sur le point d'appeler la réception pour réclamer le planning, il se ravisa.

C'était une affaire délicate. Gina avait sûrement signé un contrat d'exclusivité avec un magazine, ce qui supposait une clause de confidentialité. Si elle avait chargé Angie de s'occuper de Jodie Layton, c'était sans aucun doute parce qu'elle savait pouvoir compter sur sa discrétion.

Mais pour sa part, il ne connaissait pas assez bien le personnel pour lui choisir un remplaçant aussi digne de confiance.

Par ailleurs, si Jodie voulait avoir une chance d'atteindre son objectif dans un délai aussi court, il lui fallait un coach personnel, qui se consacre entièrement à elle.

Or il était le seul au Club du Lac à être disponible. De plus, à part l'absence d'Angie, dont les cours seraient répartis entre les autres coachs, tout marchait comme sur des roulettes. Ce qui signifiait qu'il risquait de manquer d'occupation.

— Si vous n'avez que trois semaines, il n'y a pas de temps à perdre, déclara-t-il. Nous allons commencer par vous mesurer, vous peser et prendre quelques photos.

Elle eut une moue boudeuse.

— Ne vous inquiétez pas, c'est absolument indolore, promit-il.

— Comment pouvez-vous le savoir ?

— Je le sais.

Il se rappela les photos qui avaient fait la une des journaux plusieurs années auparavant, quand il avait quitté le terrain de rugby sur un brancard. Etre exposé au regard des autres quand on se sent vulnérable n'était pas plaisant. C'était même insupportable, à vrai dire…

Ces clichés, il les avait affichés au mur pour se donner du courage pendant les séances de kinésithérapie qui avaient suivi chaque intervention chirurgicale. Il y avait puisé l'énergie et la rage nécessaires pour se battre et redoubler d'efforts.

— Vous pourrez fixer les photos sur la porte de votre réfrigérateur. Elles vous aideront à résister aux tentations. Par ici, ajouta-t-il en se dirigeant vers la porte.

Il ouvrit celle-ci et la lui tint ostensiblement.

— Attendez !

Elle avait pivoté sur sa chaise mais ne semblait pas décidée à se lever.

— C'est vous qui allez vous occuper de moi ?

— Est-ce que ça vous pose un problème ? Angie étant absente, je crains que vous n'ayez pas le choix.

— Eh bien…

— Allons, ne vous inquiétez pas. Si vous vous appliquez pendant les séances de gymnastique et si vous supprimez…

Il fit une pause, le temps de se remémorer la liste établie par Gina.

— … le chocolat, les cheese-burgers, les beignets…

— Donnez-moi ça ! s'écria-t-elle en se levant d'un bond pour lui arracher le dossier. Tout ce que Gina a écrit là-dedans est un tissu de mensonges !

Il la saisit par la taille au moment où elle se jetait sur lui. Assailli par un parfum suave d'herbe fraîchement coupée, il en profita pour la retenir quelques secondes contre lui. Elle était si… appétissante. Il n'y avait pas d'autre mot. Elle était émouvante également. Qualité qui manquait cruellement aux mannequins filiformes qu'il tenait d'ordinaire dans ses bras.

A contrecœur, il s'écarta d'elle. Il ne fallait pas perdre de vue que l'objet des fantasmes de la jeune femme était Charles Gray. Une star du cinéma en pleine gloire, dotée d'une « paire de fesses à se damner ». Pas un ex-joueur de rugby boiteux…

— Pour vous motiver, essayez d'imaginer les légendes des photos du mariage dans la presse, suggéra-t-il avec une pointe d'ironie. « Charles Gray subjugué par la splendide sœur de la mariée », par exemple.

— Vous désapprouvez ?

Impossible de le nier. Il désapprouvait. Pas son désir d'affiner sa silhouette — même s'il la trouvait très à son goût telle qu'elle était. Non. Il désapprouvait sa motivation. Mais après tout, si elle avait des rêves de midinette, c'était son problème.

— Pourquoi cette question ? demanda-t-il d'un ton neutre.

— Parce qu'il est considéré comme normal qu'un homme joue les séducteurs alors que si une femme affiche les mêmes intentions, elle ne s'attire que du mépris.

— Ecoutez…

42

— Non, c'est vous qui allez m'écouter, monsieur Morgan…

— Brad, rectifia-t-il.

— D'accord, Brad. Je voudrais que vous fassiez preuve d'un peu d'imagination. Essayez d'envisager un scénario légèrement différent. Le même genre de mariage très « show-biz », mais c'est vous qui êtes le témoin.

— Je ne vois pas…

— Et vous apprenez que c'est ma sœur — la sublime Natasha Layton — qui sera la demoiselle d'honneur. Réfléchissez un peu.

Selon les médias, Natasha Layton était en tête du hit-parade des fantasmes masculins depuis son premier film, songea-t-il. C'était non seulement une femme splendide mais aussi une actrice de grand talent.

Cependant, elle était d'une beauté un peu trop froide à son goût et il avait du mal à s'imaginer dans le rôle du témoin prêt à tout pour la séduire. En revanche, il imaginait sans peine combien la sœur de Natasha Layton devait souffrir d'être systématiquement comparée à un tel symbole de perfection.

Si Jodie Layton avait envie d'avoir son propre quart d'heure de gloire, de quel droit le lui reprocherait-il ? En serait-elle plus heureuse à long terme ? Rien n'était moins sûr. Sa désillusion risquait d'être grande, mais c'était un autre problème.

— Vous voulez me faire remarquer que nous sommes à l'époque de l'égalité des sexes et que les femmes ont le droit de se comporter comme les hommes ?

— Vous voyez ? dit-elle avec un grand sourire. Ce n'est pas si difficile à admettre, n'est-ce pas ?

En fait, il avait un peu de mal…

— Désolé, mais je suppose que je suis un peu vieux jeu.

— Oh, je vois. Vous avez une prédilection pour le rôle du chasseur. Ne vous est-il jamais arrivé d'être la proie ?

Avant qu'il ait le temps de trouver une réponse appropriée, elle poursuivit d'un air mutin :

— Excusez-moi. J'oubliais que les hommes vieux jeu ne dévoilent rien de leur vie sentimentale. C'est même ce qui fait leur charme. Ils ne trahissent jamais les secrets d'alcôve.

— C'est exact, mademoiselle Layton. La discrétion est notre plus grande vertu.

Après une légère pause, il ajouta d'un ton pince-sans-rire :

— Et parfois la seule.

Une fois encore, le visage de Jodie fut transfiguré par un sourire joyeux. Pour la première fois depuis une éternité, Brad sentit les battements de son cœur s'accélérer et il dut faire appel à tout son sang-froid pour ne pas se pencher vers elle et capturer sa bouche. Il était si tentant de lui montrer comment embrassait un homme vieux jeu…

— Si nous passions aux choses sérieuses ? demanda-t-il d'une voix rauque. Il va falloir travailler dur avant de côtoyer Charles Gray.

Pivotant sur lui-même, il sortit dans le couloir. A elle de décider si elle le suivait ou non.

3.

Le souffle coupé, Jodie resta clouée sur place. L'espace d'un instant, elle avait bien cru qu'il allait l'embrasser. Pire. Elle l'avait espéré ! Ce qui prouvait à quel point il était risqué de partir de chez soi le matin sans avoir avalé autre chose qu'un bol de soupe au chou…

Pour avoir les idées claires, il était indispensable de manger au moins un pain au chocolat, décida-t-elle en prenant son sac avant de rejoindre Brad.

Elle s'immobilisa à l'entrée du petit bureau dans lequel elle l'avait vu pénétrer. Le dos tourné, il consultait son dossier, qu'il avait ouvert sur une table. Ses cheveux épais bouclaient sur sa nuque, constata-t-elle. Et sa carrure était vraiment impressionnante. En fait, il avait un corps parfaitement proportionné. Epaules larges, taille fine et une paire de fesses…

— Vous êtes prête ? demanda-t-il en se tournant vers elle.

— Non. Mais ne vous inquiétez pas, ce n'est pas grave. Par quoi commençons-nous ?

— Vous sautez sur la balance et je prends note de votre poids.

Elle considéra sans enthousiasme la balance high-tech. Pas question de sauter dessus ni même d'y poser un pied ! En tout cas, pas avant d'avoir perdu quelques kilos.

— Inutile. Si vous regardez bien, vous verrez que j'ai inscrit mon poids sur le formulaire.

Elle accompagna cette réponse d'un sourire poli. Pour lui montrer à quel point elle était sérieuse...

— J'ai vu.

La fixant de ses yeux outremer, Brad Morgan lui rendit son sourire. Les petites rides qui lui griffaient le coin des paupières accentuaient son charme. Alors que chez une femme, elles seraient considérées comme une horrible marque de vieillissement à effacer par n'importe quel moyen. Encore une injustice révoltante...

— A présent, si nous vérifiions combien vous pesez réellement ?

— Vous me vexez, monsieur Morgan. Insinueriez-vous que je n'ai pas été honnête dans mes réponses ?

— Brad, rectifia-t-il. Je ne me permettrais pas d'insinuer quoi que ce soit. En revanche, je pense que vous avez un problème avec les chiffres. Ou bien avec votre balance. Quand l'avez-vous fait régler pour la dernière fois ?

— Régler ? Elle est neuve.

Neuve pour elle, en tout cas. Certes, aussi loin que remontaient ses souvenirs, elle l'avait toujours vue dans la salle de bains de ses parents. Mais ça ne regardait pas Brad Morgan.

— Pas si neuve que cela, apparemment, répliqua-t-il. Le poids que vous avez indiqué est en livres. Si nous voyions ce que cela donne en kilos ?

Aucune chance d'y échapper, comprit-elle. Elle avait le choix entre monter sur la balance ou partir. Ce n'était pas négociable.

Haussant les épaules, elle retira ses chaussures de sport et monta avec précaution sur la balance. Résultat : deux kilos de plus que ce qu'elle avait noté sur le formulaire. Ce qui correspondait aux cinq livres qu'elle avait soustraites du poids indiqué par la balance de sa mère. Manifestement toujours précise, en dépit de son grand âge.

— Allons bon ! Ma balance est déjà déréglée ? Ce n'est pas normal. Je vais la rapporter au magasin.

— Excellente idée.

— A moins…

— A moins ?

— Eh bien…, je me suis pesée nue.

— Vraiment ?

— Est-il possible que ça explique la différence ?

— Le seul moyen de le savoir, c'est de vous déshabiller.

Evidemment ! Quelle idiote ! Que lui avait-il pris de faire cette remarque ?

— Inutile, déclina-t-elle poliment. C'était une simple précision.

— J'en ai pris note. Vous voulez bien vous placer sous la toise ?

Grands dieux ! Elle avait triché également sur sa taille… Oh, à peine. Juste assez pour améliorer le rapport taille/poids. Décidément, elle était nulle. Gina l'avait pourtant avertie. Pas question de tricher.

— Laissez-moi deviner, dit-il. Quand vous vous êtes mesurée, vous portiez des talons hauts ?

— Il fallait que je me déchausse ?

Etait-ce encore l'ombre d'un sourire qui étirait ses lèvres ? Si seulement elle pouvait le faire rire ! Il en oublierait peut-être toutes ces formalités assommantes.

— Bien. Bras en l'air, intima-t-il en ouvrant un tiroir.

— C'est un hold-up ?

Jodie perdit toute envie de plaisanter quand elle le vit dérouler un mètre de couturière.

— Qu'avez-vous l'intention de faire avec ça ?

Il arqua les sourcils sans répondre.

— Vous allez prendre mes mensurations ?

L'air penaud, elle indiqua ses hanches.

— A ce niveau ?

— A tous les niveaux. Pour établir un programme de remise en forme personnalisé, je dois déterminer la localisation de la surcharge pondérale.

— Elle ne vous saute pas aux yeux ?.

— Hanches, cuisses, taille, approuva-t-il sans la moindre hésitation.

— Seulement ? Inutile de me ménager. Il faut que je maigrisse de partout.

— Je ne suis pas d'accord, objecta-t-il avec un large sourire. Il serait dommage de vous priver de vos meilleurs atouts.

Jodie réprima un gémissement. S'il savait à quel point elle se sentait encombrée par cette poitrine opulente ! Déjà à l'école, elle avait été mortifiée d'être la première fille à avoir des seins…

— Nous prendrons vos mensurations une fois par semaine pour contrôler vos progrès, précisa-t-il.

48

De mieux en mieux…

— Oh, je peux très bien contrôler mes progrès moi-même. Je saurai que j'approche du but quand je parviendrai à fermer mon jean.

— C'est un bon moyen, en effet. Cependant, je préfère utiliser une méthode plus scientifique. Au cas où votre jean serait aussi « déréglé » que votre balance…

— Je vous promets de ne pas tricher. Vous pouvez me faire confiance.

— Et vous, vous *devez* me faire confiance, Jodie. C'est pour vous que nous allons travailler. Pour que vous vous sentiez mieux dans votre peau et que vous puissiez réaliser votre rêve. Eblouir Charles Gray au mariage de votre sœur.

Il fit une pause qui sembla interminable à Jodie.

— C'est bien votre rêve le plus cher, n'est-ce pas ?

Elle haussa les épaules. Formulé ainsi, ce rêve paraissait stupide. En fait, ses ambitions étaient un peu plus élevées. Elle voulait soigner sa blessure d'amour-propre et retrouver sa fierté. Elle voulait que Martin s'en veuille à mort quand il la verrait en photo dans *Celebrity*. Et surtout, elle voulait que tout le monde cesse de la plaindre. Mais pour rien au monde elle ne l'avouerait à Brad Morgan.

— Oh, vous savez, des rêves j'en ai beaucoup, éluda-t-elle d'un ton qu'elle voulait désinvolte. Mais je vous promets d'essayer de vous faire confiance.

— Ça faciliterait les choses. Vous voulez bien lever les bras ?

Fermant les yeux, elle s'exécuta, le cœur battant. Il s'approcha d'elle et passa le mètre derrière son dos.

Il y avait bien longtemps qu'elle n'avait pas été approchée d'aussi près par un homme. Pourtant, même les yeux fermés, elle sentait bien que ce n'étaient pas des mains féminines qui glissaient le mètre autour de sa poitrine, de sa taille…

Il ne tentait pas de profiter de la situation et s'acquittait de sa tâche avec des gestes sûrs et efficaces. Elle n'avait vraiment aucune raison de se plaindre.

Toutefois, il était si proche qu'elle sentait la chaleur de son souffle contre sa joue. La fraîcheur de son haleine mentholée se mêlait à l'odeur virile de sa peau, réveillant des émotions oubliées, qu'elle avait refoulées au plus profond d'elle-même.

— C'est bon, vous pouvez respirer, à présent, dit-il abruptement en s'écartant d'elle.

Seigneur ! Elle ne s'était même pas aperçue qu'elle bloquait sa respiration…

Le souffle court, elle répliqua :

— Vous devez me trouver ridicule, mais je suis un peu…

— Embarrassée ? coupa-t-il avec un sourire qui lui réchauffa le cœur. C'est tout à fait normal. Vous n'avouez sans doute votre poids et vos mensurations à personne, même à votre meilleure amie.

Rassérénée, elle sourit à son tour.

— Vous avez certainement compris que je ne me les avoue même pas à moi-même.

— Ne craignez rien, Jodie. Vous pouvez me faire confiance. Avec moi, tous vos secrets seront bien gardés.

Il inscrivit un dernier chiffre dans son dossier avant d'annoncer :

50

— Il ne me reste plus qu'à prendre quelques photos.

Il fouilla dans les tiroirs du bureau, ouvrit un placard.

— Si je trouve un appareil…

— Pas de problème. J'ai le mien.

Plus vite ce serait terminé, mieux elle se porterait, se dit-elle en sortant son appareil de son sac.

— En rentrant chez moi, je transférerai les clichés sur mon ordinateur et j'en imprimerai un exemplaire pour votre dossier.

— C'est du matériel haut de gamme, commenta-t-il d'un air appréciateur.

— Je l'utilise pour mon travail.

Elle se pencha pour le mettre en marche.

— Il suffit d'appuyer là, dit-elle en indiquant un bouton. C'est tellement simple qu'un enfant de deux ans pourrait s'en servir.

Comme il ne réagissait pas, elle leva les yeux. Pourquoi la regardait-il ainsi ? se demanda-t-elle, profondément troublée. Il y avait dans ses yeux une lueur étrange…

— Nous allons les prendre dehors, déclara-t-il en détournant le regard.

Il éteignit l'appareil et le mit dans sa poche.

— Vous allez ranger votre sac dans un casier et faire quelques exercices d'échauffement. Ensuite, nous irons marcher un peu.

— Marcher ? Super.

Du moment qu'il ne lui demandait pas de courir…

Alors qu'ils gagnaient la sortie, elle constata qu'il boitait toujours légèrement.

— Vous êtes sûr que ça va aller ? demanda-t-elle.

— Si je n'arrive pas à vous suivre, je vous le dirai, rétorqua-t-il d'un ton caustique.

Elle marcha un moment à côté de lui en l'observant à la dérobée.

— Que vous est-il arrivé ? finit-elle par demander.

— J'ai fait une mauvaise chute et une douzaine d'hommes me sont tombés dessus.

Devant son air perplexe, il précisa :

— Rassurez-vous, ils ne l'ont pas fait exprès. Ce genre de chose arrive souvent dans le feu de l'action.

— Le feu de l'action ?

— C'était pendant un match de rugby.

Sa compassion devait se lire sur son visage, se dit-elle quand il ajouta avec un sourire :

— Ce n'était pas si dramatique. C'est mon équipe qui a gagné.

— Oh. Dans ce cas, ça valait le coup de souffrir, plaisanta-t-elle en prenant le même ton enjoué que lui.

— Figurez-vous que sur le moment, c'est exactement ce que j'ai pensé.

— Avant que ne vous preniez conscience de la gravité de votre blessure ?

Il haussa les épaules sans répondre.

— Vous savez, dit-elle, depuis des années, Gina essaie désespérément de me convaincre de faire du sport. Du tennis, ou du basket, ou autre chose. Eh bien, j'ai toujours résisté parce que j'estime que c'est dangereux.

A la grande joie de Jodie, un sourire amusé éclaira le visage de Brad.

— Vous avez raison. Le tennis est très mauvais pour les genoux. En revanche, je vous promets que cette petite promenade ne sera pas trop pénible.

Alors qu'ils arrivaient à la réception, il déclara :

— Sur votre formulaire d'inscription, vous avez noté que votre profession était « créatrice de tissus ». En quoi cela consiste-t-il exactement ?

Elle lui jeta un regard en biais. Etait-ce de l'humour ?

Devant son air perplexe, il précisa :

— J'essaie simplement de me faire une idée de vos journées de travail. Je n'ai pas l'impression que vous passez vos journées à vous agiter devant un métier à tisser.

Pas de doute, c'était de l'humour...

— Je suis créatrice — artiste — pas tisserande. Je ne me sers pas d'un métier à tisser mais de mon imagination. Et d'un ordinateur.

— Je vois. Et quand vous n'êtes pas assise devant votre ordinateur, que faites-vous ?

— Je passe beaucoup de temps à chercher les étoffes qui servent de support à mes créations, ainsi que des perles, des paillettes, des rubans, etc.

— Vous faites du shopping, en quelque sorte.

— Si vous voulez. Mais sachez que courir les magasins est éreintant. Ça permet de brûler beaucoup de calories.

— Pas si pour reprendre des forces, vous vous jetez sur les pâtisseries et le cappuccino à la cafétéria.

Mieux valait ignorer superbement cette remarque, songea Jodie.

— Une fois que j'ai trouvé tout ce dont j'ai besoin, je réalise le modèle que j'ai conçu.

— Vie sédentaire, conclut-il alors qu'ils s'engageaient sur le sentier qui faisait le tour du lac. Eh bien, à partir d'aujourd'hui, je veux que vous ne vous déplaciez plus qu'à pied.

— Même pour me rendre à mon travail ?

— Est-ce loin ? Vous pouvez éventuellement couper la poire en deux. Faire la moitié du trajet en voiture et terminer à pied. Un bon kilomètre devrait suffire.

— A l'aller et au retour ? demanda-t-elle en réprimant un sourire malicieux.

— Aller et retour, tous les jours. Comme vous l'avez souligné vous-même, vous n'avez pas beaucoup de temps. Vous en sentez-vous capable ?

Traverser la cour jusqu'à son atelier ? Ça devrait être possible…

— Je vous promets d'essayer, Brad, assura-t-elle en prenant une mine vertueuse.

— Parfait. Vous allez commencer à vous entraîner dès maintenant.

Il accéléra le pas si progressivement qu'elle ne s'en aperçut que lorsqu'elle commença à être essoufflée.

— Et les photos ? demanda-t-elle au bout d'un moment.

Ce serait une bonne occasion de faire une pause, se dit-elle, pleine d'espoir.

— Vous ne trouvez pas que c'est l'endroit idéal ?

Elle s'arrêta.

— Je les prendrai sur l'autre rive, répliqua-t-il sans ralentir.

— L'autre rive ? répéta-t-elle d'un ton incrédule.

S'imaginait-il vraiment qu'elle allait le suivre jusque là-bas ?

— Avec le club en arrière-plan, confirma-t-il en continuant d'avancer.

54

— Très pittoresque, marmonna-t-elle en le rejoignant au petit trot.

Pourquoi avait-elle décidé de se lancer dans une entreprise aussi titanesque ? Pour séduire un homme qui était peut-être aussi inintéressant qu'il était beau ? Pour prendre sa revanche sur un autre homme, qui avait largement prouvé qu'il n'était pas digne d'intérêt ?

Jamais elle n'aurait dû se fourrer dans un tel guêpier, se dit-elle avec humeur. Néanmoins, elle serra les dents et continua de suivre Brad pendant encore dix minutes. Puis un point de côté l'obligea à s'arrêter. Elle se plia en deux en se tenant les côtes.

— J'abandonne, lâcha-t-elle, haletante. Je suis une loque, je le reconnais. Rien au monde ne pourrait me forcer à faire un pas de plus. Si vous ne voulez pas être obligé de me porter au retour, il faut vous arrêter maintenant et me laisser souffler un peu.

— Pourquoi ne l'avez-vous pas dit plus tôt ? s'écria-t-il en revenant vers elle.

Il la prit par le coude pour l'aider à se redresser.

— Continuez à bouger. Marchez sur place pour empêcher vos muscles de se refroidir.

Il prit son pouls.

Comme ses doigts étaient doux et frais sur sa peau ! se dit-elle en réprimant un frisson. Des doigts fins et puissants à la fois.

— Pas fameux, mais nous allons faire le nécessaire pour que ça s'améliore.

— Pardon ? s'exclama-t-elle en levant les yeux vers lui.

Il lui lâcha le poignet.

— Votre capacité de récupération laisse à désirer.

55

— Oh.

Lui en tout cas n'avait aucun problème de ce côté-là, constata-t-elle. Son torse se soulevait lentement et régulièrement. Rien à voir avec sa propre respiration, syncopée et haletante… Brad ne semblait pas le moins du monde affecté par cette marche rapide, alors qu'elle était au bord du malaise !

Il attendit un moment qu'elle retrouve son souffle puis déclara :

— A partir de maintenant, c'est vous qui allez donner le rythme. Mais dites-vous bien que vous promener tranquillement dans la campagne ne donnera pas des résultats spectaculaires. Il va falloir vous bousculer un peu.

— C'est-à-dire ?

— Eh bien, par exemple, vous devez être capable de parler en marchant.

Parler ne devrait pas poser de problème, se dit-elle, un peu rassurée.

— Dites-moi, Brad, depuis combien de temps travaillez-vous ici ? demanda-t-elle en repartant d'un pas tranquille.

Pourvu qu'elle tienne le coup jusqu'à ce qu'ils soient revenus à leur point de départ… Le lac paraissait beaucoup plus étendu quand on envisageait d'en faire le tour.

— C'est ma première journée au Club du Lac, répondit-il.

— Où étiez-vous avant ?

— Vous ne marchez pas assez vite, prévint-il.

— Si j'accélère, je serai obligée de faire une nouvelle pause dans quelques minutes.

56

— Si vous continuez à ce rythme, nous n'aurons pas rejoint le club avant la tombée de la nuit. Et « parler » ne signifiait pas engager une conversation. D'ici la semaine prochaine, je veux que vous fassiez ce parcours en courant.

— Impossible, même en rêve !

— A propos de rêve, j'essaie juste de vous aider à réaliser le vôtre, rétorqua-t-il en accélérant le pas.

Etait-ce une impression ou tentait-il réellement d'esquiver ses questions ? se demanda-t-elle.

Jodie s'abandonna au jet chaud de la douche en gémissant. Elle était moulue ! Il y avait au moins un an qu'elle n'avait pas marché plus loin que l'épicerie du coin où elle se ravitaillait en pain frais, en lait et en chocolat.

Certes, elle pourrait les acheter moins cher au supermarché où elle faisait régulièrement ses provisions. Cependant, elle préférait s'astreindre à aller tous les deux jours à l'épicerie. Quand elle travaillait sur une commande, seule l'envie de chocolat pouvait la pousser hors de son atelier. Toutefois, aller trois fois par semaine jusqu'au coin de la rue ne l'avait en rien préparée à faire le tour du lac...

Elle était rentrée au club en nage, écarlate et à bout de souffle. A peine capable de mettre un pied devant l'autre. Brad s'était efforcé de la réconforter en lui certifiant qu'avec un peu d'entraînement ce parcours deviendrait bientôt une partie de plaisir... La prenait-il vraiment pour une demeurée ?

Quand ils s'étaient séparés pour prendre leur douche, il était frais comme un gardon et ne boitait pratiquement plus. Par quel miracle ? Mystère. Souhaitant discuter avec elle de son programme de remise en forme, il lui avait donné rendez-vous au restaurant du club.

A l'idée de monter à l'étage, elle gémit de nouveau. Même la perspective de manger n'était pas suffisamment motivante. De toute façon, que pouvait-elle espérer à part des plats diététiques ?

Quand elle eut fini de se sécher les cheveux, elle décida de ne pas les attacher. Cette coiffure avait l'avantage de masquer en partie son visage rouge et luisant...

Mais sans doute pas suffisamment, se dit-elle une fois à table. Car après un bref coup d'œil, Brad lui servit un grand verre d'eau.

— Vous avez faim ? demanda-t-il.

— Ne remuez pas le couteau dans la plaie, par pitié.

Elle but son verre d'un trait et il le remplit de nouveau.

— Je n'ose pas imaginer ce qu'on va me servir ici, et chez moi c'est un bol de soupe au chou qui m'attend !

— De la soupe au chou ?

— Le régime préconisé par ma mère.

— Elle est diététicienne ?

Ayant passé le plus clair de son de temps à accompagner Natasha à ses cours puis à ses auditions, sa mère n'avait jamais travaillé. La brillante carrière de sa fille cadette l'avait occupée à plein temps.

— Non, mais il paraît que c'est un régime très efficace. On est assuré de mincir en un temps record et...

58

— Jetez votre soupe, dit-il en lui tendant un menu. Et pour ce midi, je vous recommande les pâtes.

Le visage de Jodie s'éclaira.

— Des pâtes ? Mais que vais-je faire de la soupe ? J'en ai cinq litres.

— Versez-les sur le tas de compost.

— Je n'en ai pas. Je n'ai même pas de jardin. Juste une cour avec quelques bacs à fleurs.

— Ça demande très peu d'entretien.

— C'est bien ce qui me plaît !

— Dommage. Le jardinage est un excellent exercice.

— C'est aussi une source de durillons. Mais pour en revenir à la soupe, je ne peux pas la jeter. Ma mère l'a faite spécialement pour moi. Et puis songez à tous les gens qui meurent de faim...

— Si vous avez des problèmes de conscience, faites un don à une association. Votre programme de remise en forme va vous demander de l'énergie, et ce n'est pas un bol de soupe au chou qui va vous en donner.

De l'énergie ? Aïe. Ça ne laissait rien présager de bon. Et de toute façon ce n'était pas la forme qu'elle voulait retrouver, mais la ligne. Enfin..., pour une fois, mieux valait s'abstenir de tout commentaire.

— Si votre mère vous pose des problèmes, envoyez-la-moi.

Oubliant un instant ses inquiétudes, Jodie réprima un sourire. Sa mère confrontée à l'autorité placide de Brad Morgan, elle aimerait bien voir ça...

— Je serais curieuse d'assister à la rencontre.

Un sourire nonchalant étira les lèvres de Brad. Aussitôt, elle sentit son cœur s'affoler dans sa poitrine.

— Va pour les pâtes, s'empressa-t-elle de dire en lui rendant le menu. Mais à la fin du repas, vous serez sans doute obligé de convoquer une demi-douzaine d'haltérophiles pour me porter jusqu'à ma camionnette.

4.

— Voici ce que je vous propose, déclara Brad une fois qu'ils eurent commandé. Si vous voulez atteindre votre objectif à temps pour le dernier essayage de la robe, il va falloir faire de l'exercice au moins tous les deux jours. Quant au régime...

Il tapota une brochure posée sur la table.

— Vous trouverez là-dedans tous les conseils utiles pour avoir une alimentation équilibrée.

— Merci ! Figurez-vous que j'ai habité pendant trois ans avec Gina. Je connais donc sur le bout des doigts toutes les règles de la diététique. Le problème, c'est que je suis incapable de les appliquer.

— Même pendant quelques semaines ? Réaliser son rêve demande un minimum d'effort.

— J'ai marché pendant quinze kilomètres aujourd'hui. J'estime que c'est un bel effort.

— Vous avez parcouru trois kilomètres en faisant deux haltes, rectifia-t-il d'un ton pince-sans-rire.

Jodie réprima un mouvement d'humeur. Brad Morgan commençait à l'agacer sérieusement, mais mieux valait ne pas se le mettre à dos. Elle avait trop besoin de lui.

— Séduire l'homme de vos rêves vaut bien un petit sacrifice, non ? insista-t-il. De toute façon, vous pourrez engloutir tout ce qui vous plaira dès que vous redescendrez sur terre. Le lendemain du mariage.

Décidément, il était de plus en plus désagréable ! Insinuait-il qu'elle n'avait aucune chance d'atteindre son objectif ? En fait, il estimait qu'elle ne valait pas la peine qu'il s'occupe d'elle. C'était évident. Eh bien, que ça lui plaise ou non, il allait être obligé de la supporter. Elle n'avait pas l'intention d'abandonner la partie avant même d'avoir commencé à jouer !

Elle lui décocha un sourire étincelant.

— Vous avez raison, Brad. Dès le lendemain du mariage, je m'offrirai une orgie de calories. Cette perspective devrait m'aider à tenir le coup.

Sans lui rendre son sourire, il demanda :

— Quelle heure vous convient le mieux ?

— Pardon ?

— Pour les séances d'entraînement. Etes-vous libre dans la journée, le matin, le soir ?

— Je préfère le début de matinée.

Une fois qu'elle s'était mise au travail, elle détestait s'interrompre.

— 8 heures ? suggéra-t-elle.

A en juger par son regard narquois, ils n'avaient pas la même conception du « début de matinée »...

— 7 heures ?

— D'accord. Nous commencerons demain. Prenez un petit déjeuner consistant. Céréales complètes. Lait demi-écrémé. Œuf poché.

— Et surtout pas de soupe au chou, dit-elle dans l'espoir de le dérider.

62

Même s'il se contentait de son sourire énigmatique à peine ébauché…

— Si vous avez des scrupules à la jeter, vous pouvez la manger répliqua-t-il, sans l'ombre d'une esquisse de sourire. Mais seulement après les céréales et l'œuf poché. Si vous persistez à vouloir suivre le régime accéléré de votre mère, je vous laisse tomber.

A en juger par son air excédé, ce serait pour lui un véritable soulagement, songea Jodie avec un pincement au cœur.

A cet instant, la réceptionniste s'approcha de leur table.

— Qu'y a-t-il, Lucy ?

— Le responsable de l'entretien te cherche, Brad. Il y a une fuite dans l'une des salles de bains à l'hôtel et…

— J'arrive.

— Vous arrondissez vos fins de mois par des travaux de plomberie au noir ? demanda Jodie après le départ de la jeune femme.

Puis, sans trop savoir quel démon la poussait, elle ajouta sur le même ton narquois :

— A moins que ce ne soit votre véritable métier ?

Au lieu de lui décocher une réplique cinglante comme elle s'y attendait, il déclara d'un ton neutre :

— En fait, je suis polyvalent. D'ailleurs, j'ai été engagé comme homme à tout faire.

Sur ces mots, il se leva.

— Votre repas arrive. Bon appétit.

Il donna à la serveuse un numéro de compte sur lequel facturer les repas et s'excusa de ne pas avoir le temps de manger le sien.

Auprès de la serveuse, mais pas auprès d'elle, nota Jodie, vexée.

— Des instructions concernant le dîner ? s'enquit-elle pour retarder son départ de quelques secondes.

Certes, il pouvait être irritant, mais elle aurait tout de même préféré déjeuner en sa compagnie…

— Du blanc de poulet sans la peau. Une pomme de terre en robe des champs. De la salade.

— Pas de dessert ? plaisanta-t-elle.

— Pas de dessert, confirma-t-il sans se dérider. A demain.

Elle le suivit des yeux avec convoitise. Au diable Charles Gray ! Brad Morgan avait la paire de fesses la plus sexy de tous les coachs/plombiers qu'elle avait jamais rencontrés…

Brad constata les dégâts dus à la fuite d'eau. Rien de grave, mais comme il avait gardé l'appareil de Jodie, il prit des photos pour l'assurance, puis il laissa l'équipe de maintenance effectuer les réparations nécessaires.

Ensuite, il se rendit dans son appartement et commanda un sandwich. Puis, tout en allumant son ordinateur portable pour y transférer les photos, il composa le numéro de téléphone de Gina dans l'intention de lui laisser un message. A sa grande surprise, elle décrocha.

— Ne devrais-tu pas être en train de dormir ? s'exclama-t-il.

— Sans doute. Malheureusement, mon horloge interne ne semble pas avoir enregistré le changement d'heure. J'étais sur le point de t'appeler.

— Des problèmes ?

— Aucun. Un homme charmant m'attendait à l'aéroport pour me conduire à l'hôtel, et mon programme consiste à jouer les touristes jusqu'à lundi, le temps de me remettre du décalage horaire.

— Profites-en bien. Je ne veux pas seulement que tu rapportes des idées géniales, je veux que tu fasses le plein d'énergie pour les mettre en pratique dès ton retour.

— Ne t'inquiète pas, je suivrai ton conseil. Pourquoi m'appelles-tu ? Il y a des problèmes au club ?

— Rien de très grave. Angie est à l'hôpital. Crise d'appendicite. Je lui ai envoyé des fleurs.

— La pauvre ! J'espère qu'elle ne souffre pas trop. Oh, mince ! s'exclama Gina après une pause.

— Si c'est Jodie Layton qui te préoccupe, rassure-toi. Je me suis arrangé.

— C'est vrai ? Je voulais t'en parler avant de partir, mais tu n'étais pas à ton bureau. Ça ne t'ennuie pas que je lui aie accordé un abonnement gratuit de trois mois ? J'ai estimé que c'était un arrangement très avantageux pour le club. Cela dit, je dois avouer que je paierais volontiers de ma poche pour voir Jodie faire du sport. Depuis le temps que j'essaie de la décider…

— Vous êtes très liées ?

— C'est ma meilleure amie. Nous nous connaissons depuis que nous sommes hautes comme trois pommes.

— Eh bien, ne t'en fais pas. Elle est entre de bonnes mains. J'ai décidé de m'en occuper moi-même.

Il y eut un silence stupéfait à l'autre bout de la ligne.

— Ça te pose un problème ? demanda-t-il.

— Non…. Je suis juste un peu étonnée. Tu dois être très pris.

— Pas tant que ça. Je m'entoure de collaborateurs suffisamment compétents pour pouvoir déléguer l'essentiel des responsabilités.

D'ailleurs, elle s'en apercevrait bientôt, songea-t-il avant de poursuivre :

— De toute façon, étant donné les circonstances, ça me paraît la meilleure solution. Je veux être sûr qu'aucune indiscrétion ne sera commise.

— Je vois. A vrai dire, je suis ravie que tu prennes Jodie en charge. Elle mérite qu'on la soutienne, mais je te préviens, il va te falloir une bonne dose de patience.

Un bâillement obligea Gina à s'interrompre un instant.

— Excuse-moi, reprit-elle. J'ai l'impression que mon corps a fini par prendre en compte le décalage. Qu'est-ce que je disais ?

— Qu'il fallait être patient avec Jodie.

— Oui. J'avais prévenu Angie qu'elle a tendance à se gaver de cochonneries pour calmer ses angoisses. Or je soupçonne que d'ici le mariage, elle va connaître des moments de panique.

— Tu veux dire qu'elle risque de se précipiter dans un fast-food dès que j'aurai le dos tourné ?

— Elle ne pourra pas s'en empêcher. Il faut la surveiller de très près. Comme une gamine.

— Je m'en suis rendu compte. Sur son formulaire, elle avait menti sur son poids, sa taille et son âge.

— Et tu as réussi à le lui faire avouer ? Elle doit t'adorer !

66

— Disons que nous sommes parvenus à une entente tacite. J'ai noté qu'elle avait un problème avec les chiffres, et de son côté, elle a pris conscience que je n'étais pas né de la dernière pluie. Toutefois, je l'ai dispensée d'un régime cauchemardesque concocté par sa mère, ce qui me vaut une certaine reconnaissance de sa part.

— Sa mère est pleine de bonnes intentions, mais je ne suis pas certaine qu'elle soit la personne la plus indiquée pour aider Jodie.

— L'enfer étant pavé de bonnes intentions, ça ne m'étonne guère… As-tu d'autres renseignements à me donner qui pourraient m'être utiles pour épauler Jodie ?

— Tu sembles prendre cette affaire très à cœur.

— Comme tout ce que j'entreprends. Alors, quoi d'autre ? insista-t-il.

— Je ne vois pas…

Gina avait des scrupules, comprit Brad. Il suffisait d'attendre patiemment qu'elle décide en son âme et conscience si trahir certains secrets pouvait rendre service à son amie.

— Si, il y a autre chose, finit-elle par admettre. Jodie voulait que j'aille chez elle pour vider la maison de toutes les cochonneries dont elle est si friande.

— Je m'en charge.

— Le problème, c'est qu'il faut être au courant de toutes ses manies. C'est un véritable écureuil. Elle cache dans les moindres recoins des réserves de sucreries pour les moments de déprime. Elle a toujours fonctionné comme ça, mais depuis qu'elle travaille à son domicile, ça prend des proportions inquiétantes.

Brad réprima un juron.

— Elle travaille chez elle ?

Pas étonnant qu'elle se soit résignée d'aussi bonne grâce à se rendre à pied à son travail... Elle s'était bien payé sa tête !

— Depuis un an environ, répondit Gina. Depuis qu'elle a quitté l'enseignement. Au début, elle a traversé des périodes très difficiles — au point d'engloutir trois ou quatre barres chocolatées par nuit — mais il faut reconnaître qu'elle a lutté vaillamment. Ce sont ses créations qui l'ont sauvée. C'est une fille exceptionnelle, qui a un talent fou. Tout ce dont elle a besoin, c'est de reprendre confiance en elle. Et d'apprendre à apprécier son reflet dans le miroir.

Elle avait toute sa compassion, songea Brad. Pendant longtemps il avait lui aussi haï son reflet...

— Etre la sœur de Natasha Layton ne doit pas lui faciliter la vie, commenta-t-il.

— En effet. Mais si tu veux fouiller sa maison, il faut que je t'explique où chercher. Jodie travaille dans une ancienne écurie aménagée en atelier, au fond de la cour. Tu y trouveras des biscuits au chocolat dans une jarre de terre cuite posée sur le sol, un paquet de bonbons à la menthe dans le tiroir de son bureau, un sac de...

Quelques minutes plus tard, Brad raccrocha et transféra sur son ordinateur les photos stockées dans l'appareil de Jodie. Elle avait pris des vues très réussies du club et du lac. Pas de doute. Elle avait l'œil d'une artiste.

Il examina ensuite les clichés qu'il avait pris d'elle. En sueur, le visage cramoisi, des mèches de cheveux humides plaquées sur le front. Et malgré tout attirante...

Il se remémora le bref instant où il l'avait tenue contre lui. Quelle sensation délicieuse ! Elle était si féminine…

Pourquoi tenait-elle tant à mincir ? Si elle se doutait un seul instant du trouble qu'elle faisait naître en lui…

Malgré sa fatigue, Jodie était arrivée chez elle pleine d'énergie et impatiente de se mettre au travail. Assise devant son ordinateur, elle apportait la touche finale à une commande, quand des coups frappés à la porte de son atelier la firent tressaillir.

Après avoir sauvegardé son travail, elle se leva sans enthousiasme. C'était sûrement sa mère… Surexcitée comme ce matin et impatiente de lui raconter le dernier épisode des préparatifs du mariage de l'année. Pourvu qu'elle ne lui apporte pas une autre marmite de soupe !

Jodie ouvrit la porte et crut que son cœur allait bondir hors de sa poitrine. Brad se tenait sur le seuil, son fameux demi-sourire aux lèvres.

— J'ai sonné, mais n'ayant pas eu de réponse, j'ai pensé que vous étiez peut-être encore en train de travailler. J'espère que je ne vous dérange pas.

Pas vraiment, non. En revanche, il la troublait. Au plus haut point… Le soleil printanier avait disparu depuis longtemps. Il faisait sombre à présent ; les cheveux de Brad ainsi que sa veste de cuir étaient recouverts de fines gouttelettes de pluie qui scintillaient dans la lumière de l'atelier.

Oui, elle était très troublée…

— Je… euh…

Allons bon, voilà que ses cordes vocales venaient de tomber en panne ! Pour se donner une contenance, elle vérifia l'heure à son poignet. Malheureusement, elle avait enlevé sa montre...

— Il est presque 19 heures, dit-il.

Elle cala une boucle rebelle derrière son oreille — il fallait bien trouver quelque chose pour occuper cette main qui pendait bêtement —, s'éclaircit deux fois la gorge, et déclara :

— Je ne me rendais pas compte qu'il était aussi tard. Quand je travaille, j'ai tendance à perdre la notion du temps. Mais entrez, vous allez être trempé.

— Merci.

Dès qu'il eut franchi le seuil, elle eut l'impression que l'atelier venait de rétrécir. Par ailleurs, la silhouette sombre et imposante de Brad Morgan contrastait singulièrement avec les étoffes, rubans, paillettes et galons aux couleurs vives qui débordaient de divers cartons. En survêtement gris il était déjà très séduisant, mais entièrement vêtu de noir, il était... Mieux valait ne pas s'appesantir sur le sujet, songea-t-elle avant de demander :

— Voulez-vous du thé ?

Il fallait bien dire quelque chose... D'autant plus qu'il ne semblait pas enclin à engager la conversation.

— Merci, je veux bien.

Il examina des panneaux richement brodés, qui étaient en attente de cadre.

— C'est un professeur de botanique qui m'a commandé une série illustrant les saisons. Je suis en train de travailler sur l'hiver, dit-elle en indiquant son ordinateur.

Sans transition, elle demanda nerveusement :

70

— Avec votre thé, vous voulez du lait ? Du sucre ?

— Non, merci. En revanche, je prendrais bien un biscuit. Comme vous le savez, je n'ai pas eu le temps de déjeuner.

Aussitôt, elle plongea la main dans la jarre de terre cuite. Puis se figea.

Pourquoi avait-elle soudain le sentiment d'être tombée à pieds joints dans un piège grossier ?

— Très drôle, marmonna-t-elle. Gina m'a dénoncée, n'est-ce pas ?

Elle posa la boîte de biscuits au chocolat sur la table et tendit les mains comme si elle attendait qu'il lui passe les menottes.

— Je me rends. Que faire d'autre quand on est prise en flagrant délit ?

Sans sourciller, il ouvrit la boîte, prit un biscuit et mordit dedans.

Il aurait tout de même pu éviter de la narguer ! songea-t-elle en laissant retomber ses mains.

— Je vous ai rapporté votre appareil photo, déclara-t-il.

Il termina son biscuit, sortit l'appareil de sa poche et le posa à côté de l'ordinateur.

— Au cas où vous en auriez besoin pour votre travail. Je suis désolé de ne pas avoir pu venir plus tôt, mais j'ai eu plusieurs problèmes à régler. Et ensuite, il a fallu que je fasse mes bagages.

— Vos bagages ?

Apparemment, il ne lui avait pas fallu longtemps pour renoncer à s'occuper d'elle… S'efforçant de réprimer le tremblement de ses mains, Jodie sortit une tasse et brancha la bouilloire. Pourvu qu'il ne remarque pas sa déception !

— Où allez-vous ? demanda-t-elle tout en portant à ses lèvres sa tasse de thé froid, afin de masquer son désarroi.

— Gina m'a confié que vous souhaitiez être surveillée vingt-quatre heures sur vingt-quatre.

Il prit un autre biscuit.

— Vous auriez dû m'en parler ce matin. J'aurais déjà emménagé.

Jodie avala de travers et fut prise d'une violente quinte de toux qui lui fit recracher une partie du thé.

Brad lui tendit une boîte de Kleenex qui se trouvait sur la table. Elle s'empressa d'en prendre une poignée pour s'essuyer.

— Ça va mieux ? demanda-t-il.

Elle ne s'était jamais sentie aussi mal, au contraire ! Etait-il devenu fou ?

— Vous... vous avez l'intention de vous installer ici ? demanda-t-elle d'une voix étranglée.

Pour amortir un tel choc, le thé ne suffisait pas ! Elle saisit un biscuit au chocolat, une fraction de seconde avant que Brad déplace la boîte hors de sa portée.

Il lui agrippa le poignet, l'emprisonnant dans ses longs doigts fins, et lui ôta le biscuit de la main avant qu'elle ait le temps de le porter à sa bouche.

Elle laissa échapper une exclamation qui la fit aussitôt rougir. Très gentleman, Brad feignit de ne pas avoir entendu.

— Gina m'a dit que vous aviez une chambre d'amis dans la maison. Ne vous inquiétez pas, je serai très discret. En fait, vous ne vous apercevrez même pas de ma présence...

— Il n'en est pas question ! coupa-t-elle d'un ton vif.

— ... sauf bien sûr si vous décidez de vous faire un sandwich au salami au milieu de la nuit. Dans ce cas, vous vous rendrez compte que j'ai le sommeil très léger.

— Je n'ai pas de salami !

— C'est possible. En tout cas, il est certain que vous n'en aurez plus une fois que j'aurai fait le vide dans votre réfrigérateur.

— Mais...

— C'est votre idée.

— Pas du tout ! C'est Gina qui devait s'installer ici ! Je la connais depuis...

— La maternelle. Je sais.

Jodie était aux cent coups. Bon sang ! Elle avait de plus en plus de mal à respirer... Et son cœur battait beaucoup trop vite. Ce qui n'était pas étonnant. Elle était furieuse. Contre Gina et contre Brad Morgan. Qui la regardait avec un air si innocent qu'on lui aurait donné le bon Dieu sans confession... Il fallait absolument trouver un moyen de se débarrasser de lui !

Elle prit une profonde inspiration.

— Ecoutez, j'apprécie beaucoup votre dévouement, mais je ne peux pas accepter. Vous avez sûrement des tas d'autres choses plus intéressantes à faire et...

— Ne vous inquiétez pas. Je suis libre comme l'air.

Elle déglutit péniblement.

— Gina a laissé un numéro de téléphone où la joindre, ajouta-t-il.

Il prit une carte dans la poche intérieure de sa veste et la lui tendit.

— A cette heure-ci, elle est probablement réveillée.

— Réveillée ou pas, elle va m'entendre !

Jodie prit son téléphone et composa le numéro indiqué sur la carte. Alors que la sonnerie retentissait à l'autre bout de la ligne, elle annonça :

— Ça va être sanglant. Je préférerais ne pas avoir de témoin.

— Pas de secrets entre une femme et son coach, Jodie.

Il prit la boîte de gâteaux, se leva, ouvrit le tiroir du bureau, et en retira le sac de bonbons à la menthe.

Puisque c'était comme ça, elle allait changer de tactique, décida-t-elle.

— D'accord, vous avez gagné. Je m'incline.

Feignant la résignation, elle sortit des clés de sa poche et les lui tendit.

— Fouillez donc la maison également, avant de partir.

De toute façon, elle avait prévu de faire un saut à l'épicerie, alors...

— Je vais chercher mon sac, annonça-t-il en prenant les clés. Je reviendrai chercher les pastilles au chocolat plus tard. Quand vous aurez fini de téléphoner.

Au moment où il refermait la porte derrière lui, une voix ensommeillée résonna dans le combiné.

— Allô ?

74

— J'attends des explications, Gina ! lança Jodie sans préambule.

— Holà ! Doucement ! Laissez-moi le temps d'émerger.

Il y eut trente secondes de silence.

— Ça y est, je me rappelle qui je suis, reprit Gina. Et vous, qui êtes-vous ?

— Arrête ton cinéma ! Et explique-moi pourquoi, en ce moment même, Brad Morgan est en train de s'installer dans ma chambre d'amis.

— Déjà ? Ça alors ! Il n'a pas perdu de temps ! Je lui ai expliqué que tu m'avais demandé de venir habiter chez toi pour t'empêcher de faire des écarts de régime, et il a trouvé que c'était une excellente idée.

— C'est une idée complètement stupide, oui !

— De quoi te plains-tu ? Je te rappelle que c'est toi qui as insisté pour être placée « sous haute surveillance, vingt-quatre heures sur vingt-quatre ». Tu n'es pas trop désagréable avec lui, j'espère ? Parce que tu as beaucoup de chance qu'il soit prêt à te consacrer autant de temps.

— De la chance ?

Jodie faillit s'étrangler d'indignation.

— Figure-toi qu'il a déjà fait le vide dans l'atelier et qu'il est en train de mettre la maison à sac !

Gina pouffa.

— Jodie, arrête ! Tu voulais un coach à domicile. Tu l'as.

— C'est toi que je voulais ! Nous sommes amies. Nous nous connaissons depuis toujours.

— C'est bien pour cette raison que ça n'aurait pas marché. Au bout de vingt-quatre heures, je serais sortie nous acheter du chocolat.

— Gina, Brad Morgan est un homme !

— J'avais remarqué. Et je suis ravie que ça ne t'ait pas échappé non plus.

— Je n'ai pas envie de rire ! protesta Jodie, de plus en plus outrée. Il n'est pas question qu'il s'installe ici !

— Avant de prendre des mesures que tu risques de regretter, écoute-moi bien attentivement. Je n'ai que quatre mots à te dire.

— Quatre ?

— Charles Gray.

Jodie s'efforça de retrouver l'enthousiasme qu'elle avait ressenti en apprenant que sa sœur allait se marier et que le témoin serait Charles Gray. Curieusement, il y avait un bon moment que ce dernier n'avait pas occupé ses pensées. Mieux valait ne pas chercher à savoir depuis quand exactement...

— Si je sais encore compter, ça ne fait que deux mots. Quels sont les deux autres ?

— Martin Jackson.

— Oh, Gina ! Pourquoi tant de cruauté ?

— Je cherche simplement à te convaincre que Brad Morgan est ton allié. Il sait...

— Tu ne lui as tout de même pas parlé de Martin ? s'exclama Jodie, étreinte par une vive angoisse.

— Bien sûr que non ! Et s'il est au courant pour Charles Gray, ce n'est pas moi qui ai vendu la mèche. C'est toi. Mais passons... Ce que j'aimerais que tu comprennes, c'est que Brad Morgan est le meilleur coach que tu puisses espérer. Alors prends conscience de ta chance et cesse de râler pour un oui ou pour un non.

— Tu as peut-être raison, répondit Jodie sans grande conviction. Mais dis-moi, pour qu'il soit aussi dévoué, tu dois lui payer grassement ses heures supplémentaires, j'imagine ?

— Pardon ?

— Je suppose que s'il est prêt à jouer les coachs à domicile, ce n'est pas pour la gloire ?

Il y eut un silence.

— Gina ? Tu es toujours là ?

— Oui... oui. Excuse-moi. Que disions-nous ? Ah oui... Les heures supplémentaires de... Eh bien, ça ne te regarde pas, ma chère. Sache simplement que je ne te facturerai pas le temps qu'il passera chez toi.

— Ça, il n'y a pas de danger, parce qu'il n'est pas question qu'il reste ! Que dirais-tu si je te demandais d'héberger un parfait inconnu ?

— S'il ressemblait à Brad Morgan, je serais très impatiente qu'il emménage. Je ne comprends vraiment pas ton problème, Jodie. Je te répète pour la énième fois que tu peux avoir une confiance aveugle en Brad Morgan.

— Tu sembles très sûre de toi. Me cacherais-tu quelque chose ?

— Quoi, par exemple ?

— Seriez-vous... intimes ?

— Voyons, Jodie ! Tu sais bien qu'il ne faut surtout pas mélanger plaisir et travail...

Gina s'interrompit brusquement.

— Je suis désolée, reprit-elle aussitôt. Je ne voulais pas...

— Ne t'en fais pas, ce n'est pas grave.

Jodie s'efforça bravement de refouler les souvenirs douloureux qui l'assaillaient.

Il fallait se ressaisir et se concentrer sur son principal objectif. Si elle voulait éblouir Charles Gray, elle devait suivre assidûment son programme de remise en forme. Gina avait raison. Elle avait la chance de bénéficier des services d'un coach à domicile. Autant en profiter.

— Réjouis-toi, tu m'as convaincue, annonça-t-elle. D'autant plus que Brad Morgan pourrait me rendre d'autres services. Changer les joints des robinets de la salle de bains, par exemple.

— Les joints des robinets ?

Pourquoi Gina semblait-elle aussi stupéfaite ? se demanda Jodie, intriguée. Elle devait pourtant connaître les compétences de Brad Morgan en plomberie.

Au même instant, une série de bips retentit.

— Oh, on dirait qu'il y a un problème sur la ligne, dit Gina. En tout cas, tu peux faire confiance à Brad. Je t'assure que tu ne le...

La communication fut coupée.

Le sort en était jeté, songea Jodie. De toute façon, si Brad Morgan avait décidé de s'installer chez elle, il y avait peu de chances pour qu'elle parvienne à l'en dissuader...

Retardant le plus possible le moment de gagner la maison, elle transféra sur son ordinateur les clichés stockés dans l'appareil photo et les examina. Puis elle imprima la photo d'elle la moins flatteuse. A fixer immédiatement sur la porte du réfrigérateur, décida-t-elle.

Ce qui ne l'empêcha pas de s'attarder encore un bon moment dans l'atelier. Elle éteignit son ordinateur. Rinça les tasses. Rangea. Le tout en tentant d'ignorer les martèlements de son cœur.

Finalement, après avoir essuyé les tasses — au lieu de les laisser sécher comme à l'ordinaire — elle sortit, verrouilla la porte et courut sous la pluie jusqu'à la maison.

maison.

5.

Jodie fit irruption par la porte de derrière en secouant
sa chevelure châtaine parsemée de gouttes de pluie. En
voyant Brad nonchalamment appuyé contre la table de
la cuisine, elle se figea.

— Vous avez déjà terminé ? demanda-t-elle.

— Dans cette pièce, oui. Pour le reste de la maison, j'ai préféré attendre que vous soyez présente pour
assister à la fouille.

— Quel gentleman ! En tout cas, vous n'aurez pas
besoin de retourner à l'atelier.

Elle laissa tomber sur la table un paquet de rochers
au chocolat.

Brad s'efforça de garder son sérieux. Bien joué,
mais il n'était pas dupe. Jodie espérait l'empêcher de
fouiller lui-même l'atelier. Heureusement que Gina
l'avait prévenu des ruses dont était capable son amie.
D'après elle, quelle que soit sa bonne volonté, celle-ci
garderait obligatoirement quelque chose en réserve.
Mais il réglerait ce problème plus tard.

— J'apprécie ce geste. Comment va Gina ?

— Encore un peu groggy, répondit Jodie en fixant la photo sur la porte du réfrigérateur à l'aide d'aimants. Mais ça ne l'a pas empêchée de me chanter vos louanges.

— Vraiment ?

Gina avait-elle révélé à Jodie sa véritable position au sein du Club du Lac ? se demanda-t-il.

— A tel point qu'elle a fini par me convaincre que j'avais une chance inouïe de bénéficier des services d'un coach aussi consciencieux que vous.

— C'est toujours agréable de se savoir apprécié.

Parfait. Apparemment, Jodie ne savait toujours pas qui il était réellement, se dit-il avec satisfaction.

— Avez-vous trouvé la chambre d'amis ? demanda-t-elle.

— En haut de l'escalier. La porte à droite.

— Je crains qu'elle ne soit un peu spartiate.

Dans toute la maison le décor était d'une simplicité extrême. Murs blancs, poutres apparentes, sol nu. La seule tache de couleur provenait d'un bouquet d'iris violets, dans un vase en étain posé sur la table de cuisine en pin.

Même la chambre de Jodie était très dépouillée. Il ne s'était pas permis d'y entrer, bien sûr. Il en avait juste ouvert la porte, alors qu'il cherchait la chambre d'amis. Seul le parfum suave d'herbe fraîchement coupée qui flottait dans l'atmosphère lui avait indiqué que c'était bien la pièce où elle dormait. Jamais il ne l'aurait imaginée dans un décor aussi sobre.

— C'est sans doute pour me vider l'esprit, mais quand je ne travaille pas, j'apprécie de me retrouver dans un cadre neutre, expliqua-t-elle comme si elle devinait ses pensées.

81

Puis, posant son regard sur le carton dans lequel il avait entassé le contenu de son réfrigérateur et de ses placards, elle ajouta :

— Je vois que vous n'avez pas perdu de temps. Qu'allez-vous faire de tout ça ?

— Ce n'est pas votre problème.

— Vraiment ?

Le regard qu'elle lui lança lui coupa le souffle. Bon sang ! Vivre sous le même toit qu'elle risquait de lui procurer des sensations fortes...

— Non, c'est le mien, insista-t-il quand il fut de nouveau capable de parler. D'ailleurs, je vais l'emporter immédiatement loin d'ici.

— Peut-être pourriez-vous en profiter pour faire les courses pour le dîner ? Puisque vous avez complètement vidé tous mes placards...

— C'est prévu. Le chef du Club du Lac a préparé un repas léger, que j'ai mis à réchauffer dans le four.

Une fossette creusa furtivement la joue de Jodie. Mais si furtivement qu'elle était peut-être le fruit de son imagination, songea-t-il avec perplexité.

— Demain, nous irons faire des courses, poursuivit-il. Nous remplirons votre réfrigérateur de légumes, poisson, fruits, etc. Vous savez cuisiner, au moins ? J'espère que vous ne vous contentez pas de commander une pizza quand vous n'avez plus de biscuits au chocolat ?

— Non ! Enfin, pas plus de trois fois par semaine...

Avant qu'il ait le temps de s'indigner, elle leva la main.

82

— Je plaisante ! A propos, j'ai un service à vous demander. Il faudrait réparer les robinets de la salle de bains. Ça vous dérangerait beaucoup ?

Quel démon l'avait poussé à venir s'installer ici ? se demanda-t-il. Dans l'intimité de sa cuisine minuscule, Jodie Layton représentait une tentation de tous les instants. Il brûlait de la prendre dans ses bras et de la serrer contre lui comme ce matin. Mais cette fois, il ne s'arrêterait pas là... Il goûterait sa bouche sensuelle aux lèvres pulpeuses, il promènerait ses mains sur ce corps voluptueux, il...

— Brad ?

— Pardon ?

— Vous ne m'avez pas entendue ?

— Si... Si, bien sûr. Qu'ont-ils, vos robinets ?

— Pas grand-chose. Il faut juste changer les joints. Mon père m'a promis de le faire, mais il n'a pas encore eu le temps. Ma mère lui trouve toujours un tas d'occupations... Mais si ça vous ennuie, laissez tomber, ajouta-t-elle d'un ton désinvolte.

Comme si au fond, elle s'en moquait.

— Ça ne me dérange pas, répliqua-t-il en s'efforçant de chasser de son esprit les images érotiques qui le poursuivaient. Je m'en occuperai demain. Pour l'instant, je vais me débarrasser de tout ça.

Il prit le carton et l'emporta jusqu'à son 4x4, dans lequel il l'enferma. La pluie continuait de tomber, mais Brad n'était pas pressé de retourner dans la maison. S'adossant au véhicule, il leva la tête et ferma les yeux, offrant son visage à la pluie. Il laissa celle-ci ruisseler sur son visage, couler dans son cou, s'insinuer sous sa chemise.

Sans résultat. Le feu que venait d'allumer au plus profond de son être la proximité de Jodie ne voulait pas s'éteindre. Il avait même l'impression que l'eau, loin de le rafraîchir, bouillait sur sa peau.

Que lui arrivait-il, bon sang ?

Il y avait si longtemps qu'il ne s'était pas enflammé pour une femme... Celles qu'il fréquentait, toujours superbes — grandes, minces, élégantes, dirait sa secrétaire —, n'attendaient de lui que ce qu'il pouvait leur offrir. Il leur faisait comprendre dès le départ que la passion n'était pas au programme et elles s'en accommodaient fort bien du moment qu'il leur offrait quelques bijoux et les sortait dans les endroits huppés. Sur ce point également, Penny avait raison... Quand ils se quittaient, généralement au bout de quelques mois, c'était toujours sans drame ni regrets.

Jodie Layton n'avait rien à voir avec ce genre de femmes. Elle était naturelle, spontanée, pleine d'humour. Vulnérable également. Et si attirante !

— Brad ?

Arraché à ses pensées, il ouvrit les yeux et tourna la tête vers la maison. Depuis le seuil de la cuisine, Jodie lui faisait signe.

— Vous êtes trempé ! Rentrez vous sécher avant d'attraper une pneumonie.

— Bien, m'dame.

— C'est si pénible ?

— Quoi donc ?

— De cohabiter avec moi ? Si vous n'en avez pas envie, rien ne vous y oblige. Je comprendrai.

84

Elle laissa échapper un petit rire. Pour signifier qu'elle se moquait éperdument qu'il reste ou qu'il s'en aille…

— Je ne dirai rien à Gina, précisa-t-elle. Je vous le promets.

Sa voix était légèrement crispée et une certaine raideur dans sa posture, dans ses gestes, trahissait le caractère factice de sa désinvolture. Manifestement, elle était persuadée que séjourner chez elle était pour lui une corvée qu'il n'avait acceptée que par conscience professionnelle. Elle s'attendait vraiment qu'il saute sur l'occasion et prenne le large avec soulagement.

En fait, elle semblait même l'espérer… Pour quelle raison ?

Pour la première fois de sa vie, Brad Morgan regretta de ne pas être parti en vacances.

Il se serait sans doute ennuyé, mais au moins, il aurait gardé les idées claires et la tête froide au lieu de nager en pleine confusion…

Il avait tellement envie de rassurer Jodie Layton… De lui avouer qu'il la trouvait superbe et mille fois plus sensuelle que toutes ces soi-disant créatures de rêve sans chair ni âme. Malheureusement, elle avait d'elle-même une image si peu flatteuse qu'elle ne voudrait jamais le croire. Comment la persuader qu'il était ravi d'être là ?

— Pour être honnête, c'est vous qui me rendez service, affirma-t-il, pris d'une inspiration subite. Je pourrais habiter un des studios réservés au personnel du club en attendant de trouver un logement. Ils sont corrects.

En fait, les studios en question étaient franchement luxueux. Et de toute façon, il bénéficiait lui-même d'une suite...

— Un peu rudimentaires, mais corrects. Cependant, votre maison est beaucoup plus agréable, ajouta-t-il avec un grand sourire.

Il y avait toutes les chances pour qu'elle soit convaincue par cet argument, se dit-il avec satisfaction. Alors que s'il lui avait avoué la vérité — qu'il appréciait beaucoup et même un peu trop sa compagnie — elle ne l'aurait jamais cru...

— Dans ce cas, pourquoi restez-vous dehors sous la pluie ? s'enquit-elle.

— Figurez-vous que j'étais en train de calculer combien de fois par jour vous allez devoir traverser la cour pour brûler des calories en vous rendant à votre travail.

— Aïe !

— Figurez-vous que c'est un mot beaucoup plus grossier qui m'est venu à l'esprit quand je me suis rendu compte que vous vous étiez payé ma tête.

Elle prit un air faussement penaud.

— Je suis désolée. C'est mon sens de l'humour. Il faut absolument que j'apprenne à le réfréner.

— Surtout pas. Ce serait tellement dommage.

— Etes-vous parvenu à un quelconque résultat ? demanda-t-elle en indiquant la cour.

Il y avait dans ses gestes une grâce presque enfantine, constata-t-il, de plus en plus séduit.

— Oui, acquiesça-t-il en la rejoignant sur le seuil de la cuisine.

Jodie s'écarta pour le laisser entrer.

Elle avait dressé la table. Petites assiettes de faïence aux couleurs vives et saladier assorti contenant la salade qu'il avait laissée dans le réfrigérateur. Deux grandes assiettes attendaient au chaud sur la cuisinière.

Il flottait dans l'air une odeur alléchante.

— Vous avez raison, déclara-t-il en enlevant sa chemise. Je suis trempé.

Il s'essuya les cheveux, le cou, les bras.

— Et je meurs de faim.

Il ouvrit la machine à laver et jeta sa chemise dedans.

— Vous pouvez servir. Je reviens tout de suite.

Clouée sur place, Jodie fixa l'espace si récemment occupé par son hôte inattendu. Avait-elle eu une hallucination ou Brad Morgan venait-il réellement d'enlever sa chemise dans sa cuisine ? Exposant ainsi à son regard un torse et des épaules qui feraient pâlir de jalousie les hommes et rougir de désir les femmes ?

La première fois qu'elle l'avait rencontré, son imagination lui avait laissé entrevoir un corps prometteur. Eh bien, elle venait de découvrir que son imagination était loin du compte...

Même pendant ses cours de dessin — qui lui avaient offert plus d'une occasion d'étudier à loisir de magnifiques spécimens d'anatomie masculine — elle n'avait jamais vu un corps aussi harmonieux et émouvant. Impossible d'effacer de son esprit l'image de son torse musclé, recouvert d'une fine toison qui s'amenuisait en pointe au niveau des hanches...

Elle déglutit péniblement. Ferma les yeux. Tressaillit en entendant du bruit dans la pièce au-dessus d'elle, puis quelques secondes plus tard, dans l'escalier.

Pivotant sur elle-même, elle s'empara d'un torchon et ouvrit la porte du four. Au moment où Brad pénétrait dans la cuisine, elle se tourna vers lui, la cocotte dans les mains. Pourvu qu'il mette la rougeur de ses joues sur le compte de la chaleur dégagée par le four…

— Vous avez trouvé une serviette ? demanda-t-elle sans le regarder. J'aurais dû vous dire où elles se trouvaient. Il y en a plein dans le placard du…

— J'en ai trouvé une sans problème.

Dire qu'elle avait craint qu'il ne se sente pas bien chez elle ! Apparemment, il s'y sentait comme chez lui, au contraire… Il avait changé de pantalon et portait à présent un jean et un sweat-shirt bleu délavé. Sans doute devait-elle se réjouir qu'il ne se soit pas entièrement déshabillé sous ses yeux…

Ses cheveux humides étaient ébouriffés et une barbe naissante ombrait son menton. Il s'assit à table avec un naturel confondant. Comme s'il habitait là depuis toujours…

Elle prit la cuillère de service et la lui tendit, mais il referma la main sur la sienne.

— J'espère que je ne vous ai pas choquée, à l'instant ? Je me suis déshabillé sans y penser.

— Non… pas du tout, bafouilla-t-elle.

Mon Dieu ! Il allait la prendre pour une vieille fille outragée. Ou pour une vierge effarouchée. Au choix.

Alors qu'en réalité, ce qui lui faisait perdre contenance, c'était le désir ardent qu'il avait fait naître au plus profond d'elle-même. Un désir comme elle n'en avait pas éprouvé depuis plus d'un an. Comment avait-elle fait pour survivre dans un tel désert sentimental ?

Ni le travail acharné ni le chocolat ne pourraient jamais remplacer certains plaisirs essentiels, quels que soient les efforts que l'on fasse pour les gommer de sa mémoire...

— Je ne recommencerai plus, promit-il.

— Oh, non ! S'il vous plaît !

Elle sentit ses joues devenir écarlates. Et cette fois, le four ne pouvait même pas lui servir d'alibi...

— Excusez-moi, je ne sais pas ce qui m'a pris. Je crois que je ferais mieux de me taire avant de passer pour une parfaite idiote.

Il lui lâcha la main, prit la cuillère, et lui servit un blanc de poulet accompagné de champignons nappés d'une sauce tomate.

— Pouvez-vous sortir les pommes de terre du four ? demanda-t-il. Ou préférez-vous que je le fasse ?

Elle se leva d'un bond, se cogna le genou contre le pied de la table. Insensible à la douleur, elle sortit du four le plat de pommes de terre nouvelles en robe des champs et le posa sur la table.

— Hmm, très appétissant ! lança-t-elle d'un ton enjoué en posant son assiette devant elle. Vous pourriez peut-être rapporter un plat du club tous les soirs ?

— Non, pas plus de trois fois par semaine, plaisanta-t-il en la servant. Mais parlez-moi un peu de vous. D'après ce que m'a dit Gina, vous avez été enseignante ?

Le cœur de Jodie s'affola dans sa poitrine. Pourvu que Gina ne lui ait pas parlé de Martin !

— Que vous a-t-elle raconté, exactement ? demanda-t-elle en s'efforçant de prendre un air dégagé.

— Juste que vous aviez commencé à prendre du poids au moment où vous avez démissionné de l'université. Il paraît qu'à la même époque, votre consommation de chocolat et autres gourmandises a monté en flèche. Pourquoi ? demanda-t-il en plongeant son regard dans le sien.

Pour gagner du temps, elle goûta une pomme de terre. Il fallait absolument qu'elle se ressaisisse ! Pourquoi avait-elle brusquement une folle envie de lui raconter sa lamentable histoire ?

— Pourquoi avez-vous quitté l'enseignement ? insista-t-il. Et pourquoi cette brusque fringale de chocolat au point de l'acheter par cartons entiers ?

— Ça ne m'est arrivé qu'une seule fois ! protesta-t-elle. Gina n'avait pas le droit...

Elle s'interrompit, horrifiée. A en juger par son expression, il n'était pas au courant. Il avait dû dire ça au hasard...

Elle s'éclaircit la gorge et le regretta aussitôt. Dans le silence de la cuisine, le bruit semblait assourdissant...

— Gina ne vous avait rien dit, n'est-ce pas ? Eh bien, oui, il m'est arrivé une fois d'acheter un carton entier de barres chocolatées. Celles aux raisins et au caramel avec des morceaux de biscuit. Plus une boîte d'œufs de Pâques...

Juste après sa démission. A l'époque où le seul moyen d'annihiler la douleur était d'engloutir des tonnes de sucreries.

Elle aurait sans doute mangé tout le carton si Gina n'était pas arrivée juste à temps pour la sauver d'une overdose de chocolat.

90

— En effet, elle ne m'en a pas parlé, confirma-t-il.

Il avait intérêt à ne pas rire ! songea-t-elle avec humeur. Il avait vraiment intérêt à ne pas rire !

Il ne rit pas. Il n'esquissa même pas un sourire.

En revanche, il se leva pour prendre quelque chose dans le réfrigérateur. Et quand il se retourna, une petite bouteille à la main, son visage était impassible. A part un léger frémissement des paupières, qui révélait à quel point il avait du mal à garder son sérieux…

— Voulez-vous un peu de sauce sur votre salade ? Elle est allégée, précisa-t-il.

— Alors quel intérêt ? rétorqua-t-elle avec humeur.

— Essayez et vous verrez.

Haussant les épaules, elle piqua un champignon avec sa fourchette et le mordilla pendant qu'il versait la sauce, tournait la salade et la servait sur les petites assiettes.

— Pour répondre à votre question, j'ai quitté mon poste à l'université pour me consacrer à ma carrière artistique. C'était un risque. D'où un certain stress.

Elle s'éclaircit de nouveau la gorge.

— D'où le chocolat.

— Cependant, aujourd'hui vous êtes une artiste reconnue au carnet de commandes bien rempli, n'est-ce pas ?

— Oui. Une artiste reconnue qui reste assise chez elle toute la journée. D'où l'augmentation constante de mon tour de cuisse.

Elle ne lui disait pas tout, songea Brad pendant qu'ils mangeaient la salade. Que sa vie soit devenue encore plus sédentaire depuis sa démission, c'était incontestable.

Cependant, quelqu'un qui avait le cran de quitter l'enseignement pour s'installer à son compte avait par définition le goût du risque.

Il y avait donc sûrement une autre raison à sa brusque poussée de stress. Une raison si grave qu'elle refusait de l'évoquer.

— Nous allons régler le problème des cuisses, promit-il en posant sa fourchette.

— « Nous » ?

— Bien sûr.

A cet instant, le téléphone sonna.

Elle se leva pour répondre. A peine eut-elle ouvert la bouche pour dire « allô » qu'elle fut interrompue.

— Oui, maman, dit-elle au bout d'un moment. D'ailleurs, je...

Interrompue pour la seconde fois, elle jeta un coup d'œil à Brad et lui dit silencieusement « ma mère ».

Comme si cette précision était nécessaire ! songea-t-il.

— La soupe ?

Elle écarquilla les yeux, visiblement affolée.

— Absolument... Oui... Non... Je sens bien que... Non, vraiment, c'est fantastique. D'ailleurs, j'ai déjà minci.

Elle passa une main sur sa hanche, comme si sa mère pouvait la voir.

— Non, je t'assure, ce n'est pas la peine... Je peux la faire moi-même. Tu es déjà tellement occupée...

Il y eut une longue pause durant laquelle elle se contenta des quelques « Mon Dieu ! » « Fantastique ! » ou « Ma

92

pauvre ! » que l'on attendait d'elle. Apparemment, elle était rodée à ce genre de conversation, se dit Brad.

Lui indiquant son assiette, il lui demanda silencieusement si elle avait terminé.

Elle hocha la tête et il se leva pour débarrasser.

Avec de grands gestes, elle lui fit signe d'arrêter en disant silencieusement : « Je vais le faire. »

— Quel rendez-vous ? s'exclama-t-elle soudain, de nouveau tout à sa conversation téléphonique.

Ses yeux s'agrandirent d'horreur pendant que sa mère répondait à sa question.

— Oui… oui… bien sûr, reprit-elle.

Mais simultanément, elle secoua farouchement la tête en répétant silencieusement : « Non, non, non ! »

— Est-ce que ce n'est pas un peu trop tôt ? Il me faut encore un peu de temps pour mincir.

Il y eut de nouveau un long silence, pendant lequel elle écouta sans broncher. Puis d'un ton résigné, elle déclara :

— Bon, d'accord. 9 heures…

Il s'approcha d'elle, recouvrit le combiné de sa main et déclara :

— Je suis prioritaire. Vous êtes à moi jusqu'à 10 heures.

Relâchant le combiné, il s'adossa au mur à côté d'elle, au cas où un second rappel à l'ordre serait nécessaire.

Visiblement affolée, elle lui jeta un coup d'œil nerveux. Mais il n'était pas question de céder, décida-t-il. Elle ne pouvait pas se permettre de faire l'école buissonnière dès le premier jour d'entraînement !

— Les cuisses d'abord, murmura-t-il.

Elle déglutit péniblement.

— Ecoute, maman, je ne peux vraiment pas me libérer avant 10 heures. J'ai...

Elle leva vers lui un regard implorant.

— Un rendez-vous, murmura-t-il.

— Un rendez-vous, répéta-t-elle avec un sourire reconnaissant.

Puis ses traits se crispèrent de nouveau.

— Avec qui ? fit-elle en écho à sa mère.

Décidément, Mme Layton ne s'avouait pas facilement vaincue, songea Brad, agacé.

— Personne que tu connaisses. Bien sûr que c'est important !

A en juger par la façon dont elle écartait le combiné de son oreille, sa mère lui passait un savon...

— Oui, maman. Je comprends que le mariage est plus important que n'importe laquelle de mes obliga... Oui, je sais... Bien sûr que je veux être sa demoiselle d'honneur ! C'est ma sœur...

— 10 heures, insista-t-il fermement, en la sentant vaciller sous l'assaut.

Elle lui lança un regard effaré avant de s'écrier :

— Non ! Il n'y a personne ici... C'est la radio que tu entends... Ecoute, donne-moi le numéro de téléphone de la maison de couture. Je vais les appeler pour convenir d'un autre moment.

Elle saisit le marqueur fixé au réfrigérateur et inscrivit un numéro sur la porte de ce dernier.

— Non ! Je t'assure ! Ce n'est pas la peine de passer me voir pour me réexpliquer le régime. J'ai tout compris. Concentre-toi sur Natasha. Oui... Au revoir, maman.

Elle raccrocha et se laissa aller contre le réfrigérateur, en respirant avec autant de difficulté que si elle venait de courir un cent mètres.

— Rude bataille ! s'exclama-t-elle.

— Si je n'avais pas été là, vous auriez capitulé.

— Sans doute. Mais uniquement parce qu'un essayage dans une maison de couture me semble un peu moins redoutable que tout ce que vous allez me faire subir demain.

— Le « un peu » me rassure, commenta-t-il avec un sourire malicieux. Du café ?

— S'il vous plaît.

Il brancha la bouilloire et prépara la cafetière.

— Vous auriez pu en profiter pour lui avouer que vous aviez jeté la soupe.

— Je ne l'ai pas jetée !

— Vous non, mais moi oui. Vous n'avez pas remarqué qu'elle n'était plus dans le réfrigérateur ?

— Non. Je dois avouer que son absence ne m'a pas frappée. Vous m'avez privée de tellement d'autres choses qui me manquent plus cruellement...

— Désolé, mais c'est pour votre bien. Pardonnez-moi cette question, mais pourquoi avez-vous dit à votre mère qu'il n'y avait personne avec vous ?

— Parce que en réalité, sa question signifiait : « As-tu enfin trouvé un mari potentiel, ma pauvre fille ? »

— « Ma pauvre fille ? »

— Ma mère a peur que je ne trouve jamais de mari.

— Quelle drôle d'idée ! Et pourquoi donc ?

Jodie eut un haussement d'épaules désabusé.

— J'ai raté une occasion de me marier avec un homme doté d'une bonne situation et d'un plan de retraite. Mariage idéal, du point de vue de ma mère. Bref, elle ne s'en est pas encore remise. Ce qui explique pourquoi je ne veux pas qu'elle se fasse des idées à votre propos. Peut-être vaudrait-il mieux que vous ne répondiez pas au téléphone quand je suis absente. Laissez le répondeur prendre les messages, c'est plus prudent.

— Pardonnez-moi, mais n'êtes-vous pas un peu âgée pour vous comporter ainsi vis-à-vis de votre mère ?

Elle sourit.

— Vous devriez attendre de l'avoir rencontrée avant de poser une question aussi idiote.

Soudain, des coups furent frappés à la porte.

— Mon Dieu ! C'est elle ! Ça lui arrive, expliqua-t-elle. Elle téléphone et ensuite, si elle estime que vous ne l'avez pas bien écoutée, elle vient chez vous pour vous refaire le même discours.

Visiblement paniquée, elle regarda tour à tour Brad, puis la vaisselle empilée dans l'évier.

— Vous avez vingt-sept ans, Jodie !

Elle ouvrit la bouche, la referma, fronça les sourcils, puis s'exclama :

— Comment le savez-vous ?

— Parce que Gina a vingt-sept ans. Vingt-huit, le mois prochain, très exactement.

— Je crois que je ne suis pas loin de vous haïr.

De nouveaux coups furent frappés à la porte.

— Allez-vous répondre ? Ou bien préférez-vous que j'y aille ?

96

Se redressant, elle passa nerveusement la main dans ses cheveux, puis elle prit une profonde inspiration avant d'aller ouvrir.

Ce n'était pas sa mère. C'était un homme. Impeccablement coiffé et vêtu d'un luxueux manteau de cachemire.

— Martin, lâcha Jodie d'une voix étranglée.

Le genre de voix qui indique qu'on a le souffle coupé par une vive émotion, se dit aussitôt Brad. De la joie ou de la consternation ? Jodie lui tournant le dos, il était impossible de lire ses sentiments sur son visage. Mais peut-être était-elle à la fois consternée et heureuse...

6.

— Tu ne m'invites pas à entrer, Jodie ?

Elle avait si souvent imaginé ce moment dans ses rêves les plus fous ! Les coups frappés à la porte. Martin Jackson sur le seuil. Désolé. La suppliant de lui pardonner. Rampant à ses pieds pour qu'elle lui donne une seconde chance.

Elle avait passé en revue tous les scénarios possibles. Celui dans lequel, très digne, elle se montrait magnanime et le laissait s'expliquer. Complètement tiré par les cheveux, à vrai dire.

Celui dans lequel elle laissait éclater la fureur indignée d'une femme trahie par l'homme à qui elle avait donné son cœur et sa confiance. Peut-être le plus réaliste.

Et à sa grande honte, dans les pires moments de déprime, celui où elle se jetait dans ses bras et l'entraînait vers le lit avant qu'il ait le temps de changer d'avis. Sans conteste le plus cauchemardesque...

— Il pleut, insista-t-il en indiquant discrètement son manteau, manifestement hors de prix.

— Désolée, dit-elle en se ressaisissant. Tu es la dernière personne au monde que je m'attendais à voir. Que veux-tu ?

Elle le vit arquer imperceptiblement les sourcils en même temps qu'elle sentit la main de Brad sur son épaule.

— Un problème ? demanda ce dernier. Vous feriez mieux de rentrer. Vous allez fondre sous ce déluge.

Sans lâcher son épaule, il s'avança vers Martin en tendant l'autre main.

— Brad Morgan.

— Martin Jackson.

Très maître de lui, Martin cilla à peine et serra brièvement la main de Brad, tout en déboutonnant son manteau.

— Jodie et moi sommes d'anciens collègues. Entre autres choses.

— Que veux-tu, Martin ? répéta-t-elle.

— Cette bonne odeur de café est alléchante. Je sors seulement du travail.

— Alors vous devriez changer de métier, conseilla Brad.

Martin le regarda d'un air effaré, comme s'il était fou furieux.

— Vous n'êtes pas d'accord ? commenta Brad. Peu importe. Asseyez-vous donc, je sors une autre tasse.

Jodie ne put s'empêcher de jubiler intérieurement. Martin suivait Brad des yeux, tandis que celui-ci s'affairait dans sa cuisine avec aisance comme s'il habitait chez elle depuis des mois. Manifestement, il était à la fois décontenancé et contrarié par cette présence masculine dans ce qu'il semblait considérer encore comme son territoire.

Ce qui aurait pu être flatteur, ou même comique. Mais en réalité, passé le premier instant de satisfaction, Jodie sentit une profonde amertume la submerger.

Quelle ironie ! Martin n'avait jamais ouvert un seul placard de sa cuisine. Mais elle lui avait été si reconnaissante qu'il l'honore de sa présence qu'elle l'avait toujours servi comme un pacha. Si bien que même s'il en avait eu la moindre velléité, il n'avait jamais eu à lever le petit doigt chez elle. C'était vraiment pathétique !

Pas étonnant qu'il soit surpris de ne pas la trouver seule. Il devait s'imaginer qu'elle était comme une âme en peine depuis leur séparation. Ce en quoi il n'avait pas tout à fait tort…

D'ailleurs, il ne fallait pas se faire d'illusions. Que sa visite coïncide avec l'annonce du mariage de Natasha dans les médias n'était sans doute pas un hasard…

— Tu as changé la décoration, dit-il en promenant son regard sur les murs blancs et les meubles rustiques.

— Je me suis contentée de me débarrasser de tout le fourbi qui traînait.

Sentant ses jambes flageoler, elle s'empressa de s'asseoir.

— J'en avais assez de tous ces nids à poussière.

En fait, après leur rupture, elle avait ressenti un besoin impérieux de procéder à un nettoyage par le vide. Comme si en se débarrassant de tout ce qui évoquait sa présence dans cette maison, elle pourrait l'effacer plus facilement de sa mémoire…

— Même le vieux sari transformé en baldaquin au-dessus du lit ? demanda-t-il.

Elle sentit son visage s'enflammer. Non qu'elle soit embarrassée par cette allusion à leur intimité passée.

Mais ce n'était pas un « vieux » sari ! Elle le lui avait assez souvent répété…

— Un sari *ancien*, corrigea-t-elle d'une voix ferme.

En évitant de regarder Brad.

— Du lait, Martin ? s'enquit ce dernier en posant une tasse de café devant leur hôte, puis un petit pot de lait. Je crains que nous n'ayons pas de sucre.

— Pas de sucre ? Ni de crème ?

Ignorant Brad, Martin regarda Jodie bien en face comme pour lui rappeler les plaisirs voluptueux qu'ils avaient partagés à l'époque où elle se faisait un plaisir de cuisiner pour lui.

— Que veux-tu, Martin ? demanda-t-elle pour la troisième fois.

— C'est une visite d'ordre professionnel.

Il jeta un coup d'œil à Brad, espérant manifestement qu'il allait s'éclipser discrètement. Mais ce dernier se cala contre l'évier, sa tasse à la main. Comme s'il était chez lui.

Haussant imperceptiblement les épaules, Martin versa du lait dans son café.

— Comme tu as dû en entendre parler, l'université accueille cette année le séminaire Armstrong.

— Le séminaire Armstrong ? répéta Brad.

Martin adressa à Jodie un petit sourire qui se voulait complice et suggérait qu'ils faisaient tous les deux partie d'un petit cercle très fermé dans lequel les gens comme Brad n'avaient aucune chance d'entrer. Puis il se tourna vers ce dernier.

— C'est une série de conférences parrainées par le groupe de presse Armstrong, qui a son siège ici, à

Melchester, expliqua-t-il d'un ton condescendant. On y débat des nouvelles tendances de la culture populaire. Télévision, sport, ce genre de choses. Vous n'en avez jamais entendu parler ?

Il but une gorgée de café.

— Votre café est délicieux, déclara-t-il avec un sourire mielleux. J'avoue que je n'ai jamais été capable d'en faire un qui soit buvable.

— Ce n'est pas compliqué. Il suffit de prendre le temps.

Martin prit un petit air supérieur.

— C'est bien mon problème. Je suis un homme extrêmement occupé.

Sous-entendu : « Ce genre de tâches ménagères est indigne d'un personnage aussi important que moi. »

Jodie retint son souffle. Comment allait réagir Brad ? Il se contenta de sourire courtoisement, tandis que Martin se tournait de nouveau vers elle.

— Comme tu le sais, Jodie, le temps est la chose qui me manque le plus, déclara-t-il d'un ton solennel en lui posant une main sur l'épaule.

Se dégageant calmement, mais avec détermination, elle se cala contre le dossier de sa chaise.

— En quoi le séminaire Armstrong concerne-t-il Jodie ? demanda Brad.

Martin inspira profondément, s'efforçant de maîtriser son irritation devant cette nouvelle interruption, mais sans vraiment y parvenir.

— Cette année, il a pour thème l'art au XXIᵉ siècle, répondit-il d'un ton crispé sans prendre la peine de se tourner vers Brad. Et en particulier, la place des nouvelles technologies dans la création artistique. Vous savez sans doute que Jodie utilise l'informatique pour créer ses tissus et qu'elle jouit d'une excellente réputation dans ce domaine. Nous avons d'ailleurs été très déçus de la perdre, ajouta-t-il en la regardant d'un air ambigu. Même si nous comprenons fort bien que sa carrière artistique prime sur tout le reste.

Il se pencha vers elle.

— Je n'ai pas besoin de te préciser que des tas de gens très importants seraient prêts à tuer père et mère pour avoir l'honneur de donner une conférence dans le cadre du séminaire Armstrong...

— Inutile d'en énumérer la liste, intervint-elle avec impatience.

Qu'il en vienne au fait et qu'il s'en aille !

Avec emphase, il déclara :

— J'ai obtenu l'accord du vice-président de l'université pour que tu sois chargée de la première conférence, Jodie.

— A quelle date est-elle prévue ? interrogea Brad.

Voilà une question qui venait fort à propos, étant donné qu'elle venait de perdre l'usage de la parole, se dit-elle, la gorge sèche.

Une conférence... c'était bien la dernière chose à laquelle elle s'attendait ! Quand Martin avait commencé à faire allusion au séminaire Armstrong, elle avait cru qu'il allait l'inviter à la réception finale. Histoire de se faire pardonner, dans le but de lui réclamer ensuite une faveur. Une invitation au mariage de Natasha, par exemple...

Mais lui proposer de donner la première conférence du séminaire Armstrong ! Elle n'en revenait pas ! Pour

sa carrière et sa réputation, c'était une chance inespérée...

— Elle est programmée pour le mois prochain,
répondit Martin. Alors, Jodie ? Qu'en dis-tu ?

— Le délai est un peu court, intervint Brad. Au cours
des semaines qui viennent, Jodie a un emploi du temps
extrêmement chargé.

Martin prit un air dégagé. Un peu trop dégagé pour
être honnête, songea Jodie.

— A cause du mariage de Natasha ? demanda-t-il.
J'ai appris la nouvelle ce matin. Pour être honnête, c'est
une des raisons pour lesquelles je souhaite te confier
cette conférence, Jodie. C'est une occasion unique de
te distinguer. Et bien sûr, ce sera bon pour l'image de
l'université.

— Je pensais que le programme était établi des mois
à l'avance. Un conférencier s'est désisté ? demanda-
t-elle.

Il leva les mains en souriant.

— Toujours aussi perspicace, ma chère Jodie. Nous
avons en effet un désistement. Mais ça n'en reste pas
moins une occasion exceptionnelle. J'espère que tu en
es consciente ?

Elle ne répondit pas. Dire qu'elle avait cru l'espace
d'un instant qu'il lui faisait un réel honneur ! Mais
non, bien sûr. Sa première intuition était la bonne : la
visite de Martin était intéressée. C'était avant tout à son
propre prestige qu'il pensait. Celui-ci étant étroitement
lié à celui de l'université...

Voyant que son silence se prolongeait, il revint à la
charge.

104

— C'est une occasion inespérée, Jodie. J'espère sincèrement que tu accepteras et que tu me permettras ainsi de racheter mes erreurs passées. J'aimerais tellement que tu me pardonnes et que nous puissions renouer sur de nouvelles bases.

Il sembla sur le point d'ajouter quelque chose, mais il se ravisa et se leva.

— Je te laisse réfléchir.

— Je n'ai pas…

Surprenant le regard de mise en garde que lui adressait Brad, elle s'interrompit. Qu'essayait-il de lui faire comprendre ? Qu'elle ne devait pas prendre de décision hâtive ? Pourtant, elle brûlait d'envie de refuser catégoriquement. Ici et maintenant. Même si du point de vue de sa carrière, elle avait tout intérêt à accepter. Elle avait tellement envie de dire à Martin ce qu'elle pensait de lui et de ses propositions intéressées ! Elle ne voulait plus rien avoir à faire avec cet homme ! Mais après tout, elle pouvait bien le faire lanterner un peu… Son refus n'en aurait que plus d'impact.

— Je ne sais pas quoi dire, marmonna-t-elle.

— Pourquoi n'en discuterais-tu pas avec ta mère ? C'est une femme intelligente, qui a de l'ambition pour ses enfants. Je suis certain qu'elle saura te conseiller judicieusement. Mais n'attends pas trop longtemps.

Il jeta un coup d'œil à Brad.

— Merci encore pour le café.

Une fois sur le seuil, il demanda :

— Ce 4x4 est à vous ?

— C'est une voiture de fonction, répondit Brad.

Un petit sourire supérieur aux lèvres, Martin se dirigea vers une voiture de sport flambant neuve.

— Tu recevras une lettre du vice-président d'ici à quelques jours, Jodie. Téléphone-moi. Nous déjeunerons ensemble.

Après avoir refermé la porte, Jodie resta un long moment debout, immobile. Le silence dans la cuisine était assourdissant.

— C'était l'homme du chocolat, finit par dire Brad sans prendre la peine de le formuler comme une question. Il n'est pas professeur, je suppose ?

Elle secoua la tête.

— Non, il est administrateur du département des beaux-arts. Gestion des crédits, du personnel…

— Il doit avoir un salaire confortable. Son manteau ne vient pas de la première boutique de prêt-à-porter du coin.

— Il a un instinct remarquable en peinture pour repérer ce qui va marcher. Il achète pour une bouchée de pain leurs œuvres aux étudiants désargentés, puis il revend quand ils sont devenus célèbres.

Elle haussa les épaules d'un air désabusé.

— Et ils finissent tous par se faire un nom. Ils l'adorent.

Elle prit sa tasse, but son café. Noir et sans sucre, il fallait faire un effort pour l'avaler… Elle n'avait aucune envie de boire du café noir sans sucre. Elle avait envie de se goinfrer de chocolat…

— J'ai cru qu'il était venu me soutirer sournoisement une invitation au mariage de Nat, confia-t-elle. Il a vraiment réussi à me surprendre.

Surtout ne pas penser aux pastilles de chocolat enfermées dans la voiture de Brad, se dit-elle. Ni aux biscuits. Seigneur ! Ses doigts étaient tellement crispés

106

autour de sa tasse qu'il était miraculeux que celle-ci ne se soit pas encore brisée en mille morceaux...

— Qu'allez-vous faire ?

— Pardon ?

Elle fit un effort pour se concentrer sur la conversation.

— Ah, vous parlez de la conférence.

Elle haussa les épaules. Martin avait au moins dit la vérité sur un point. C'était une offre inespérée. En fait, elle brûlait d'envie d'accepter. Et c'était la réaction la plus intelligente. Dire qu'elle avait failli refuser sur un coup de tête, uniquement parce que la proposition venait de lui ! songea-t-elle, furieuse contre elle-même.

Un an après leur rupture, elle ne s'était pas encore remise de sa trahison. Pathétique. Elle était vraiment pathétique.

— Ce serait de la folie de refuser, finit-elle par répondre à Brad. Même si j'en meurs d'envie. La perspective d'être redevable d'un tel honneur à Martin me rend malade. Mais ma carrière est quand même plus importante.

Reposant sa tasse, elle se leva d'un bond en évitant le regard de Brad. Ces yeux outremer ne devaient pas lire dans les siens toute la souffrance qu'elle éprouvait encore à cause de Martin Jackson.

— Il faut que je me remette au travail, annonça-t-elle d'un ton ferme. Mes panneaux doivent être terminés à la fin de la semaine prochaine.

Elle indiqua d'un geste la vaisselle sale, le désordre sur la table.

— Laissez tout ça. Je le ferai plus tard.

Sans attendre de réponse, elle ouvrit la porte de la cuisine et s'élança dans la cour, sortant de sa poche les clés de l'atelier en même temps qu'elle courait. Elle déverrouilla la porte avec des mains tremblantes. Dans sa précipitation, elle trébucha et faillit s'étaler de tout son long. Vite, il lui fallait quelque chose ! N'importe quoi ! Une bonne dose de sucre qui l'aide à surmonter sa détresse.

Elle ne prit pas le temps d'allumer la lumière. Dieu merci, elle connaissait chaque millimètre carré de l'atelier et savait exactement où chercher ! Sans hésitation, elle ouvrit le tiroir inférieur de son bureau.

Au fond. *Elle* était dissimulée dans le fond. Elle ne pouvait pas ne pas y être !

Jodie fouilla frénétiquement et, enfin, sentit sous ses doigts la tablette de chocolat. A n'ouvrir que dans les situations les plus désespérées.

Elle se recroquevilla sur le sol, s'adossa contre le mur et déchira le papier. C'était du chocolat noir. De première qualité. Soixante-dix pour cent de cacao. Rien de tel pour combattre ses démons. Elle se laissa pendant quelques secondes griser par son odeur, anticipant avec volupté le plaisir qui l'attendait. Puis elle cassa un carré et le posa sur sa langue.

Pendant un moment, il resta dur. Froid et ferme. Puis, lentement, il se réchauffa, se mit à fondre. Onctueux, savoureux… Avec un gémissement de plaisir, elle ferma les yeux.

Tapi dans l'obscurité de l'atelier, Brad entendit le bruit sec de la tablette de chocolat qui se brisait. Il aurait pu intervenir avant. C'est même ce qu'il aurait dû faire. Car avant même qu'elle quitte la cuisine, il avait compris la cause de sa précipitation.

Devant Martin Jackson, elle avait réussi à se maîtriser, mais il avait vu quels efforts surhumains elle avait dû faire. Il avait bien cru qu'à force de crisper les doigts sur le tissu de son pantalon, elle allait finir par le déchirer.

Dès qu'elle lui avait ouvert la porte, il avait compris que cet homme était à l'origine de ses pires fringales de chocolat.

Pourquoi avait-il fallu qu'une fille aussi vulnérable et sincère que Jodie tombe sur un individu tellement déplaisant ? Et dangereux. Car c'était un grand manipulateur. Un pervers de la pire espèce.

Etait-il réellement arrivé avec l'intention de faire cette offre mirobolante à Jodie — ou bien était-ce sa propre présence qui l'avait incité à jouer le grand jeu ?

Pour le savoir, il lui suffirait de passer un coup de téléphone à Mike Armstrong…

Si Jodie avait dû faire des efforts pour se maîtriser, il pouvait en dire autant. A plusieurs reprises, il avait été à deux doigts de l'empoigner et de les rejeter sous la pluie, lui et son manteau de grand luxe. Etait-ce à cause de la condescendance dont il avait fait preuve à son égard ? Il aimerait bien le croire.

Malheureusement, il était bien obligé de reconnaître que son hostilité vis-à-vis de Martin Jackson n'avait rien à voir avec le mépris dont il avait fait preuve à son endroit…

Non. La rage froide qui l'avait saisi dès l'arrivée de ce personnage odieux était due à son attitude envers

Jodie. A ses airs de propriétaire, à sa façon de lui toucher la main, comme s'il était convaincu de pouvoir la récupérer quand bon lui semblerait.

Peut-être avait-il raison…

La décision appartenait à Jodie, se dit-il fermement en ignorant superbement la douleur aiguë qui lui transperçait la poitrine. Une douleur qui ressemblait à s'y méprendre à de la jalousie…

En aucun cas, il ne devait tenter d'influencer Jodie. Il fallait la laisser décider seule si elle voulait jeter ce crétin comme il le méritait ou se jeter dans ses bras…

En revanche, il n'était pas question de la laisser faire des orgies de chocolat. Il pouvait bien lui accorder un carré. Après le choc qu'elle venait de subir, il ne fallait pas se montrer trop sévère.

A cet instant, un second claquement résonna dans l'obscurité du studio. Bien sûr, elle n'allait pas s'arrêter là… Avançant vers elle, il se pencha et lui saisit le poignet avant qu'elle ait le temps de porter le deuxième carré à sa bouche.

— Ça suffit ! dit-il fermement en lui arrachant la tablette de l'autre main et en la jetant par-dessus son épaule dans la direction de la porte restée ouverte.

Noyée dans le plaisir de l'anticipation, Jodie sursauta, comme électrocutée par le son de sa voix. Et le contact de sa main.

— Brad ! Que… ?

Il l'obligea à lever la main qui tenait le carré de chocolat. Avec un petit cri de frustration, elle se mit à genoux pour essayer de mordre dans ce dernier.

— Arrêtez ! intima-t-il sèchement en tirant sur sa main.

Tant qu'elle avait toujours le carré entre les doigts, il n'était pas question de la lâcher !

L'espace d'un instant, elle parut se ressaisir. Un petit rire lui échappa.

— Oh, mon Dieu ! De quoi ai-je l'air ? Je ne sais pas ce qui m'a pris.

— Je comprends. Ce n'est rien. Allez, levez-vous...

Mais au moment où il relâchait son étreinte autour de son poignet pour l'aider à se relever, elle fit un brusque mouvement en avant dans l'espoir de reprendre le carré. Il fut déséquilibré et son genou heurta un meuble. Laissant échapper un juron, il s'affala par terre. Sans lâcher Jodie. Pas question de céder, se répéta-t-il, tandis qu'elle tombait sur lui.

Comme possédée, elle lutta de toute son énergie avec lui pour tenter de récupérer sa drogue. Il sentit ses seins diaboliques effleurer son torse et son parfum d'herbe fraîchement coupée se mêler à celui du chocolat. Saisissant sa main libre, il plaqua Jodie contre lui pour l'empêcher de se débattre.

A cet instant précis, le chocolat devint un problème secondaire.

Pendant un moment, ils restèrent parfaitement immobiles. Seul le bruit de leurs respirations syncopées troublait le silence. La chevelure de Jodie s'était répandue sur le visage de Brad, soyeuse contre sa peau. Dans la faible lueur qui entrait par la fenêtre, il distingua ses immenses yeux verts, sa lèvre inférieure pulpeuse, sensuelle, humide et luisante, qui semblait l'inviter à un festin sensuel. Et contre sa hanche, se pressait la hanche de Jodie, ronde, voluptueuse, somptueuse.

— S'il vous plaît, Brad, murmura-t-elle d'une voix douce et suppliante. S'il vous plaît…

— Que voulez-vous, Jodie ?

Pas du chocolat, en tout cas, songea-t-elle.

Et, comme s'il avait compris sa prière muette, elle sentit ses doigts se glisser sous son T-shirt, au creux de ses reins.

Elle retint son souffle, de crainte qu'à la moindre parole, au moindre geste, il s'arrête. Lentement, il se mit à lui caresser le dos. Son pouce légèrement rugueux contre sa peau dessinait lentement, langoureusement, des cercles le long de son épine dorsale. Elle fut parcourue d'un long frisson.

— C'est ça que tu veux ? murmura-t-il d'une voix à peine audible.

Saisissant délicatement la lèvre inférieure de la jeune femme entre ses dents, il la lécha du bout de la langue, la goûta, la savourant, l'aspirant dans sa bouche. Jodie sentit une chaleur délicieuse se répandre dans tout son corps et laissa échapper un gémissement.

Répondant à son baiser, elle glissa le bout de sa langue dans la moiteur de sa bouche.

Brad émit un grognement de pur plaisir. Quelle douceur ! Quelle sensualité ! Transpercé par un désir violent, il eut le souffle coupé. Faisant glisser sa main au creux de ses reins, il plaqua ses hanches contre les siennes, lui prouvant que son appétit était aussi féroce que le sien.

— Tu es belle, Jodie, murmura-t-il en desserrant son étreinte autour de son poignet et en parsemant ses doigts de baisers.

— Belle ?

Il perçut l'incrédulité dans sa voix et la dérision dans le petit rire étranglé qu'elle laissa échapper.

— Belle, insista-t-il. Ne laisse jamais personne te dire le contraire.

Elle exhala un petit soupir qui décupla son désir. Puis d'une voix légèrement tremblante, elle demanda :

— Est-ce que ça veut dire que je peux avoir le chocolat ?

— Bien sûr.

Le chocolat avait commencé à fondre dans la main de la jeune femme. En plongeant son regard dans celui de Jodie, il retourna celle-ci et lentement, l'un après l'autre, il lui lécha les doigts, terminant par le pouce qu'il suça voluptueusement. Le chocolat, onctueux, était délectable, mais pas aussi enivrant que le goût de sa peau, la chaleur de son pouce sur sa langue.

Au prix d'un effort héroïque, il finit par la lâcher et, la voix éraillée par le désir qu'il renonçait délibérément à assouvir, il s'écarta d'elle et dit :

— A présent, tu peux finir le carré, ma belle.

7.

Jodie avait l'impression que tout son corps était sur le point de se dissoudre de plaisir. Oh, comme elle brûlait de goûter de nouveau la bouche de Brad Morgan, de la déguster en prenant tout son temps…

Puis de goûter tout le reste.

Et de l'inviter à la savourer à son tour.

Mais tandis que son corps vibrait de désir, son esprit freinait cet élan. Il l'incitait vivement à se ressaisir, lui soufflant que ce genre de situation était monnaie courante pour un coach personnel.

Non que Brad Morgan parût réticent à donner de lui-même pour lui redonner confiance en elle. S'il fallait une preuve, elle pointait en ce moment même sous le tissu de son jean.

Elle aurait dû en éprouver de la joie. Pas une tris-tesse déchirante qui lui faisait monter les larmes aux yeux…

Que lui arrivait-il ?

En tout cas, mieux valait rester lucide. Ne pas perdre de vue qu'elle n'était pour Brad qu'une cliente en manque de tendresse parmi tant d'autres. Cela allait lui donner la force de faire machine arrière avant qu'il ne soit trop tard et que l'évolution de leurs relations aboutisse au départ de ce dernier. Il fallait éviter à tout prix d'en arriver à cette extrémité. Elle avait besoin de lui. Il n'était pas question de renoncer à son programme de remise en forme. Pas question de se retrouver seule dans ce combat. Avec pour seule arme la soupe au chou.

— Jodie ?

La voix douce de Brad et sa main caressante firent vaciller sa résolution. Elle s'abandonna un instant contre lui. Il était si tentant de croire à l'impossible…

Mais la petite voix de la raison lui rappela à quel point elle souffrirait quand viendrait le moment de redescendre de son petit nuage et d'affronter la triste réalité.

— Tout va bien, Brad, dit-elle en s'écartant de lui.

Prendre de la distance, voilà où était le salut.

— Ça va beaucoup mieux, insista-t-elle. Ta démonstration est édifiante.

Elle parvint à émettre un petit rire désinvolte, tout en tentant de trouver la force de se lever et de mettre encore un peu plus de distance entre son compagnon et elle.

— Quelle démonstration ? Que veux-tu dire ? demanda-t-il d'un air grave en laissant la main sur sa hanche comme s'il avait la ferme intention de la garder contre lui pour toujours.

Se tromperait-elle ? Se pourrait-il que son baiser, ses caresses soient sincères ?

Elle tua cette pensée dans l'œuf. Pas question de se laisser duper par des chimères. Dans un effort désespéré pour reprendre le contrôle de la situation, elle s'agrippa au pied de la table et se hissa sur ses jambes.

Celles-ci avaient bien du mal à la porter... Une autre petite voix qui n'avait rien à voir avec la raison lui souffla qu'elle se conduisait comme une idiote — comme si c'était un scoop ! — mais elle refusa de l'écouter. D'un geste désinvolte de la main, elle parvint à suggérer à Brad que s'il n'avait pas compris ce qu'elle voulait dire, ça n'avait aucune importance. Que l'incident était clos et qu'il était inutile de revenir dessus.

Pour un homme blessé à la jambe, il était d'une agilité étonnante, songea-t-elle quand il se releva d'un seul mouvement avant qu'elle ait pu faire un pas. Lui bloquant le passage, non pas par la force, mais par la simple puissance de son autorité, il l'empêcha de prendre la fuite sans même l'effleurer.

— Que veux-tu dire ? De quelle démonstration parles-tu ? demanda-t-il de nouveau d'un ton dangereusement posé.

Inutile d'espérer s'échapper avant d'avoir répondu, comprit Jodie.

Son corps, désorienté par tous les signaux contradictoires qui lui étaient adressés simultanément, n'avait aucune envie de bouger. Il se sentait à sa place près de Brad. Il n'avait qu'une envie. Sentir le corps de Brad le rejoindre et s'unir à lui.

Dieu merci, son esprit comprit l'urgence de la situation et se précipita pour la sauver d'elle-même. Brad voulait une réponse, elle allait lui en donner une. Si celle-ci ne lui plaisait pas, tant pis pour lui.

— Tu viens de me prouver que le chocolat représente pour moi un substitut du sexe, déclara-t-elle.

116

Pourquoi avait-elle l'impression que la voix qui parlait n'était pas la sienne ? En tout cas, à présent qu'elle avait commencé, il était plus facile de continuer.

— C'est une évidence, poursuivit-elle en réussissant à sourire au cas où il pourrait le voir dans l'obscurité. En revanche, il n'est pas question que j'utilise le sexe comme substitut du chocolat. Si tu décides de rester ici, ce sera dans la chambre d'amis.

Prenant son courage à deux mains, elle fit un pas en avant. Il allait certainement la laisser partir, à présent… Mais il ne bougea pas d'un millimètre. Il se contenta de tendre la main et de lui caresser tendrement le visage, s'attardant sur ses tempes, effleurant ses lèvres de son pouce…

Non, non, non ! protesta-t-elle intérieurement. Il n'avait pas le droit. Ce n'était pas loyal ! Il était censé s'incliner. Ou manifester un certain dépit dû à la frustration.

Mais il n'était pas censé faire preuve de tendresse et de compréhension ! Chancelante, Jodie dut faire appel à toute sa volonté pour résister à la tentation de s'abandonner à sa caresse.

— Tu as tort, murmura-t-il d'une voix aussi douce que la caresse de ses doigts.

Il se pencha pour déposer un baiser sur son front, puis laissa retomber sa main, fit brusquement volte-face, et quitta l'atelier d'un pas sportif.

Jodie en éprouva une telle déception qu'elle crut défaillir. Oh, Seigneur ! Qu'avait-elle fait ? Il fallait le rattraper, lui demander pourquoi il était aussi tendre avec elle !

Elle faillit flancher, mais la voix de la raison la rappela à l'ordre. Au lieu de courir après Brad comme une midinette, il fallait garder ses distances. En se remettant au travail, par exemple...

Essuyant rageusement une larme qui roulait sur sa joue, elle alluma son ordinateur. Ce geste lui redonna un peu d'entrain. Au moins, dans sa vie professionnelle, elle contrôlait la situation.

Pendant que l'ordinateur démarrait, elle appuya sur un interrupteur, inondant l'atelier de lumière. Parfait. Il fallait chasser les ombres. Jetant un coup d'œil dans la cour, elle vit la tablette de chocolat à l'endroit où celle-ci avait atterri quand Brad l'avait jetée. Sans même être tentée de la récupérer, Jodie ferma la porte pour empêcher la pluie d'entrer et s'y adossa.

Son atelier avait le même aspect que quand elle l'avait quitté environ une heure plus tôt. Avant qu'elle dîne avec Brad. Avant que la visite inattendue de Martin la pousse à venir chercher en courant du réconfort.

Alors pourquoi se sentait-elle si différente ?

Parce que Brad Morgan l'avait embrassée ? Caressée...

Assez ! Elle avait décidé de se comporter en femme lucide et responsable, oui ou non ?

D'un pas qui se voulait résolu, elle se dirigea vers l'évier dans l'intention de faire disparaître de ses mains les toutes dernières traces de chocolat. Pour tenter d'oublier le contact voluptueux de la langue de Brad...

*
* *

118

Inspirant profondément plusieurs fois, Brad s'agrippa des deux mains à la table de la cuisine. Bon sang ! Jodie Layton allait le rendre fou !

Il la désirait comme il n'avait plus désiré une femme depuis une éternité. Tout en elle l'enflammait… Ses lèvres douces et tièdes, son corps voluptueux et si féminin, sa peau douce comme la soie la plus précieuse…

Il frappa violemment sur la table du plat de la main. Que lui arrivait-il ? Comment pouvait-il se mettre dans un état pareil, lui qui se flattait d'être totalement maître de sa vie ?

Se laissant tomber sur une chaise, il se couvrit le visage des deux mains. En réalité, il n'était plus maître de quoi que ce soit depuis que Jodie Layton lui était tombée dans les bras au beau milieu du hall du Club du Lac.

Il était urgent de fuir. Il lui suffisait de prendre le téléphone et de charger l'un des coachs du club de remplir le contrat passé avec elle : la transformer en demoiselle d'honneur de rêve pour les beaux yeux de Charles Gray…

Ensuite, il n'aurait plus qu'à l'oublier.

Oublier ce visage sur lequel les sentiments se lisaient à livre ouvert avant qu'elle décide d'écouter la voix de la raison. De peur sans doute de trop souffrir une nouvelle fois.

Jodie fixait l'écran où était affichée l'esquisse à partir de laquelle elle prévoyait d'élaborer son panneau « hiver ». Le travail était la solution. Au cours des mois horribles qui avaient suivi sa démission de l'université, c'était ça qui l'avait aidée à survivre. Aujourd'hui, c'était encore le travail qui l'aiderait à surmonter le désir lancinant qui ne la quittait plus depuis que Brad l'avait embrassée, caressée, serrée dans ses bras. Depuis qu'il lui avait léché les doigts…

Pas question de flancher, se dit-elle tout en réprimant un gémissement.

Pour Brad, ce qui venait de se passer ne signifiait rien. Absolument rien, se répétait-elle inlassablement tout en fixant l'écran.

Bon sang… Pourquoi la composition qui lui avait semblé si originale et évocatrice quelques heures plus tôt lui apparaissait-elle à présent comme un cliché éculé ?

Le givre donnait une touche mièvre à son paysage. L'hiver n'avait rien de joli. L'hiver c'était la pluie, le vent, le bruit incessant de l'eau ruisselante. Et il ne se conformait pas forcément au calendrier, songea-t-elle tandis qu'une rafale de pluie, qui tombait maintenant à verse, crépitait contre la vitre. Son esprit se mit à vagabonder, lui offrant l'image de Brad debout sur le seuil de l'atelier, les cheveux humides.

Sa main droite se mit alors à courir à toute allure sur la palette graphique et, perdant la notion du temps, Jodie travailla jusqu'à ce que sa vue se brouille de fatigue. Contemplant sa nouvelle œuvre, elle laissa échapper un petit soupir de satisfaction. Elle était enfin prête à commencer la construction du dernier panneau, à la première heure demain matin…

Non. Se renversant contre le dossier de son siège, elle se frotta les yeux. Demain matin à la première heure, elle avait une séance d'entraînement. Elle devait appeler le couturier. Prendre une décision à propos de la conférence. Bizarrement, même la perspective de parler à Martin ne parvint pas à troubler sa sérénité.

Elle effleura l'écran, puis éteignit l'ordinateur. Elle était épuisée, mais c'était une fatigue agréable.

Elle verrouilla la porte de l'atelier derrière elle, s'élança dans la cour au pas de course, ramassa au passage la tablette de chocolat dans son papier détrempé et la jeta à la poubelle. Puis elle s'immobilisa brusquement et pivota sur elle-même.

Le gros 4x4 de Brad n'était plus garé à côté de sa camionnette.

Clouée sur place par la déception, elle resta un long moment sous la pluie, les yeux fixés sur l'espace laissé vide, qui lui faisait l'effet d'un cratère béant. Sans prêter attention à l'eau qui trempait ses cheveux, ruisselait sur son visage, coulait dans son cou. Brad était parti...

Dire qu'elle était si impatiente de retrouver la chaleur de la cuisine, où elle les avait imaginés assis ensemble à la table en train de boire une dernière tasse de thé avant d'aller dormir... Elle avait tellement envie de lui parler des modifications qu'elle avait apportées au panneau... de lui soumettre une idée qu'elle avait eue pour la conférence...

Elle désirait également lui poser des questions qui lui avaient traversé l'esprit pendant qu'elle travaillait. D'où venait-il ? Que faisait-il avant de travailler au Club du Lac ? Avait-il une famille ? Que prenait-il au petit déjeuner ? Quelles étaient ses ambitions dans la vie ?

Seigneur ! Le sentiment de vide qu'elle ressentait à présent était insupportable !

Il n'avait même pas pris la peine de dire au revoir…

Quand elle finit par se traîner jusqu'à la maison, elle aurait été incapable de dire combien de temps elle était restée dehors. En tout cas, elle était trempée jusqu'aux os. La porte n'était pas verrouillée. Elle promena son regard autour d'elle. Tout était propre, bien rangé. Comme si Brad n'avait jamais été là. Sauf qu'il avait vidé ses placards de tout ce qui pourrait lui remonter un peu le moral…

Elle fit une grimace.

Non. Il ne fallait surtout pas penser à ça.

De toute façon, rien au monde ne pourrait lui remonter le moral. Pas même une boîte gigantesque de truffes au chocolat… En dépit de la chaleur encore dégagée par la cuisinière, elle frissonna.

Allons, une douche chaude lui éviterait peut-être une pneumonie.

Elle verrouilla la porte, enleva ses chaussures et, comme Brad un peu plus tôt, retira son sweat-shirt trempé. Elle ôta également son pantalon et ouvrit la machine à laver. Son cœur fit un bond dans sa poitrine. La chemise de Brad était toujours là, oubliée dans la hâte qu'il avait eue de la fuir. Son survêtement trempé s'y trouvait également.

Mais alors… S'il l'avait mis là, ça signifiait…

Un craquement dans l'escalier la prévint qu'elle allait bientôt avoir de la compagnie. Retirant brusquement sa main du tambour, elle se redressa d'un bond et pivota sur elle-même au moment précis où Brad arrivait dans la cuisine en s'essuyant les cheveux à l'aide d'une serviette.

— Eh bien, je n'avais pas à avoir de scrupules à m'être déshabillé dans la cuisine, déclara-t-il.

Il portait un épais peignoir en éponge et très probablement rien d'autre, à en juger par ses chevilles et ses pieds nus...

— Je... je croyais que tu étais parti, bredouilla-t-elle, les pieds comme collés sur place à la Superglu.

— Parti ?

— Ta voiture...

— Tu pensais que j'avais décidé que ça ne valait pas la peine de rester ?

Elle déglutit péniblement.

— Si c'est ainsi que te traitait Martin Jackson, il serait temps que tu fréquentes un autre genre d'homme.

Sans lui laisser le temps de réagir, il enchaîna :

— J'ai préféré me débarrasser de ce carton de nourriture avant que le camembert rende la Jeep inhabitable. Je suis allé le jeter au club.

— Avoue plutôt que tu craignais que je force ta voiture en pleine nuit.

Il ne nia pas.

— J'avais besoin de courir alors je l'ai laissée là-bas.

— Au club ? Mais c'est à des kilomètres !

— Un peu moins de trois. Quand je suis revenu, j'ai regardé par la fenêtre, mais comme tu étais encore en train de travailler, j'ai préféré ne pas te perturber dans ce que tu faisais.

Eh bien, c'était raté. Perturbée, elle l'était au plus haut point...

— Par ailleurs, j'étais en nage, poursuivit-il. Prendre une douche semblait une meilleure idée.

Il eut un sourire légèrement crispé.

— Apparemment, tu as eu la même. Je n'ai pas utilisé toute l'eau chaude.

— Merci.

— Non, Jodie. Merci à toi.

Il arqua imperceptiblement les sourcils tout en l'enveloppant d'un regard appréciateur qui la fit rougir.

Comment osait-il ? Il mériterait une bonne gifle ! pensa-t-elle avec humeur.

Mais après tout, c'était sa propre faute. Elle n'avait qu'à pas rester plantée là à lui faire la conversation en culotte et soutien-gorge... Certes, enlever ses vêtements trempés au lieu de les laisser dégouliner dans toute la maison était parfaitement logique. Mais pourquoi, bon sang, pourquoi n'était-elle pas montée directement à l'étage pour se déshabiller dans la salle de bains ?

D'un autre côté, elle serait tombée sur lui, et il aurait été nu, se dit-elle aussitôt. Et elle se serait trouvée bien embarrassée.

Alors qu'elle n'était pas nue du tout, en fin de compte. Elle était même très décente dans ses sous-vêtements de coton, sages et pratiques, supportant le lavage en machine à haute température... Car ses dessous affriolants, elle les gardait pour les grandes occasions. Traduction : ils se trouvaient actuellement au fin fond de son tiroir... Totalement inutiles.

Elle haussa les épaules.

— Comme tu l'as déjà dit, pas de secrets entre un coach et sa cliente.

— Je crois me souvenir que sur le moment, cette idée n'a pas soulevé ton enthousiasme.

124

— Oh, je t'en prie…, commença-t-elle en parvenant enfin à décoller ses pieds du sol et à se diriger vers l'escalier.

Elle s'interrompit en apercevant son reflet dans le miroir, placé de façon fort opportune non loin de la porte de derrière. Il n'était pas particulièrement décoratif, mais son intérêt était d'être juste à la bonne hauteur pour lui permettre de vérifier avant de quitter la maison pour un rendez-vous que sa jupe n'était pas prise dans sa culotte.

Ce soir, elle n'avait pas ce genre de problème — et pour cause ! — mais son reflet n'en était pas moins déprimant. La pluie ayant traversé ses vêtements, l'humidité avait pour double effet de coller ses sous-vêtements à sa peau, et de les rendre transparents. Elle n'était pas nue, certes. Mais c'était tout comme.

Avec un mugissement horrifié que Gina dut entendre sur la côte Ouest des Etats-Unis, Jodie monta l'escalier en courant pour aller se réfugier dans la salle de bains. Il n'était pas exclu qu'elle n'en ressorte jamais…

Elle avait tout de même une raison de se réjouir, se dit-elle en essayant d'y croire. A présent au moins, il n'y avait plus aucun risque que Brad ait envie de partager sa chambre.

Car la lumière de la cuisine était impitoyable. Elle ne laissait aucune place à l'imagination et poussait même le zèle jusqu'à mettre admirablement en valeur les moindres détails de la cellulite…

La salle de bains était encore chaude et le miroir recouvert de buée. Après s'être déshabillée, Jodie ouvrit le robinet de la douche et s'avança sous le jet chaud, promesse de réconfort. Elle vit alors le gel douche de

Brad à côté du sien. Dire que quelques minutes plus tôt, il se tenait exactement au même endroit qu'elle...

En fait de réconfort, la douche ne faisait qu'accroître son trouble. Seigneur ! Elle avait l'impression que Brad se trouvait là, avec elle.

Mais ce qui était encore plus troublant, c'était cette envie irrésistible qu'il y soit vraiment...

Des coups vifs frappés à sa porte à une heure plus que matinale, où il ne faisait même pas encore vraiment jour, tirèrent Jodie du sommeil.

Certes, elle ne débordait jamais vraiment d'énergie le matin au réveil, même si elle était capable de faire semblant si nécessaire. Cependant, aujourd'hui, elle se souvenait vaguement qu'elle avait une bonne raison de ne pas avoir envie de se lever...

— Jodie !

Brad Morgan. Voilà la raison. Il allait soumettre son corps récalcitrant à des exercices barbares qui devraient être interdits par la loi.

— J'ai changé d'avis, marmonna-t-elle avant d'enfouir sa tête sous l'oreiller.

Ce qui était une erreur, constata-t-elle quand les couvertures sous lesquelles elle était emmitouflée furent arrachées brusquement, la laissant à la merci du froid de mars. Pour dormir dans une chambre aérée, elle n'avait pas besoin de laisser la fenêtre ouverte. La sienne fermait suffisamment mal pour laisser passer un courant d'air glacial...

126

Par ailleurs, si elle n'avait pas stupidement enfoui sa tête dans l'oreiller, elle aurait entendu Brad entrer dans la pièce, constata-t-elle quelques secondes plus tard.

— Très joli pyjama, commenta-t-il en promenant son regard sur son ensemble en pilou, beaucoup plus chaud qu'élégant. Ces lapins ont quelque chose de très sexy…

Et si elle se mettait à hurler ? Non. Il était encore trop tôt, décida-t-elle. S'asseyant au bord du lit, elle enfila une paire de chaussons pelucheux, assortis à son pyjama, c'est-à-dire en forme de lapins avec de grandes oreilles et des moustaches. Et aussi une petite queue ronde sur les talons.

Et alors ? Les filles n'étaient-elles pas censées coordonner leurs vêtements ?

Brad ne put retenir un sourire. Décidément, cet homme en avait toute une panoplie. Ce sourire-là, elle ne l'avait encore jamais vu. Aucune idée de ce qu'il pouvait bien signifier. De l'amusement, sans aucun doute. Mais était-il mêlé d'affection ? Probablement pas.

— Moque-toi si tu veux, mais tu n'as aucune idée du froid qu'il fait dans cette chambre en plein hiver, déclara-t-elle avec une légère agressivité.

— J'ai justement un remède contre ça, déclara-t-il.

Oh, d'accord, se dit-elle. Quelle originalité…

— Quelques exercices d'échauffement ? poursuivit-il d'un ton enjoué.

Ouf ! elle avait eu la bonne idée de garder ses sarcasmes pour elle…

*
* *

— Une bicyclette !

L'engin était appuyé contre un mur, et un casque était posé sur la selle. Brad prit ce dernier et le tendit à Jodie.

— Tu vas en avoir besoin.

Elle n'avait besoin que d'une seule chose. Se réveiller et s'apercevoir que c'était un rêve. Ou plutôt un cauchemar.

— Par quel miracle est-elle arrivée là ? demanda-t-elle en ignorant le casque.

Mais il y avait plus important encore.

— Et où est ma camionnette ?

Après le 4x4, c'était à présent la camionnette qui avait disparu...

Tout à coup, elle se souvint qu'elle venait de prendre les clés au crochet derrière la porte et qu'elle les tenait à la main.

— On me l'a volée ! cria-t-elle avec une pointe de panique dans la voix. Il ne manquait plus que...

— Non, non, coupa Brad. Elle est en sûreté. Je l'ai empruntée ce matin à l'aube...

— C'est maintenant, l'aube ! protesta-t-elle, le soulagement le disputant à la colère.

— ... pour aller chercher la bicyclette.

— Tu n'y es pas allé à pied ?

Si elle côtoyait Brad Morgan pendant trop longtemps, l'ironie allait devenir une seconde nature...

— Ni en courant ? ajouta-t-elle pour enfoncer le clou.

— Je sais bien que je t'ai fortement conseillé de te déplacer uniquement à pied, répliqua-t-il en ignorant ses sarcasmes. Mais je ne pense pas que tu sois encore

128

prête à marcher jusqu'au club. En tout cas, pas si tu veux être capable de faire un peu de sport, une fois sur place.

S'il continuait de lui parler sur ce ton posé et apaisant, elle allait finir par se mettre vraiment en colère...

— Tu plaisantes, j'espère ? S'il te plaît, dis-moi que tu plaisantes. Tu m'as vue prendre les clés de la camionnette, tu aurais pu...

Au lieu de répondre, il lui posa le casque sur la tête, le mit en place, puis, apparemment satisfait, se pencha pour attacher la courroie sous son menton.

— Tu vas avoir besoin de tes clés pour revenir ici en voiture, fit-il observer judicieusement.

C'était uniquement le froid qui faisait se hérisser les pointes de ses seins, se dit-elle, tandis que les doigts de Brad effleuraient son cou, puis qu'il levait les yeux, plongeant son regard dans le sien, sa bouche à quelques millimètres de la sienne.

Heureusement que sa veste doublée de mouton les camouflait...

— Brad, je ne suis pas montée sur une bicyclette depuis..., commença-t-elle.

Elle comprit son erreur en voyant les petites griffures au coin de ses paupières se creuser sous l'effet de son sourire amusé. Elle réprima un juron.

— J'aurais parié que tu prétendrais n'en avoir jamais fait de ta vie, dit-il en lui tenant l'engin pour l'inviter à monter dessus.

— Il est trop tôt, marmonna-t-elle en se hissant sur la selle. Mon cerveau n'est pas encore réveillé.

— Ferme les yeux et pense à Charles Gray, dit-il sans retirer sa main du guidon.

129

De l'autre, il saisit l'arrière de la selle pour la mainte-
nir en équilibre, comme si c'était vraiment la première
fois de sa vie qu'elle roulait à bicyclette.

Elle tourna la tête vers lui. Il était si proche qu'elle
pourrait presque l'embrasser... Ses lèvres seraient
froides. Mais sa bouche serait chaude...

— Je... ne me souviens pas très bien comment il faut
s'y prendre, dit-elle.

— Ne t'inquiète pas, Jodie. Je suis là. Je ne te lâcherai
pas tant que je ne serai pas sûr que tu es en sécurité.
Tu veux essayer ?

— Je n'ai aucun espoir de te persuader d'appeler
un taxi ?

— Si tu veux abandonner, il suffit de le dire. Je par-
tirai immédiatement et je te laisserai tranquille.

Pourquoi semblait-il certain que ça n'avait aucune
chance de se produire ?

Elle se mit à pédaler, fit plusieurs fois le tour de la
cour en oscillant dangereusement avant de prendre de
l'assurance pour s'engager sur la route, et de là, sur la
piste cyclable qui conduisait au club.

Tout à coup, s'apercevant qu'elle était livrée à elle-même,
Jodie fut prise de panique et se remit à osciller.

— Je suis juste derrière toi, dit Brad.

Tournant la tête, elle le vit qui courait souplement et
sans effort juste derrière elle. Il était superbe. Musclé,
vigoureux et...

Elle sortit de la piste cyclable et buta contre le bas-
côté. Il la rattrapa au moment où la bicyclette allait
tomber et la retint fermement.

— Pour des raisons de sécurité, il vaudrait mieux
que tu essaies de regarder où tu vas.

Il était si près d'elle qu'elle crut sentir les battements frénétiques de son cœur. Mais c'était sans doute parce qu'il avait couru…

— Pour des raisons de sécurité, il vaudrait peut-être mieux également que tu essaies de ne pas trop penser à Charles Gray, ajouta-t-il.

— Qui ça ?

Il crut qu'elle plaisantait.

8.

— Tout se passe bien ?

Etant donné que Gina l'appelait de Los Angeles pour savoir si elle faisait des progrès, il était inutile de perdre du temps en banalités, estima Jodie.

— Si je te dis que je n'ai pas mangé un seul cheese-burger depuis que Brad Morgan s'est installé chez moi, est-ce que ça te donne une idée de ce que j'endure ?

— Je suis impressionnée. Comment est-il parvenu à ce résultat stupéfiant ?

— En se montrant impitoyable. Et totalement ignorant des désirs fondamentaux de la femme.

— Vraiment ? s'exclama Gina d'un ton narquois. Peut-être est-ce toi qui as un point de vue erroné sur le sujet. Je suis certaine que si tu réfléchis bien, tu te rendras compte que Brad pourrait faire beaucoup plus pour ton bonheur que le plus gros cheese-burger du monde.

— Je n'en sais rien, mentit Jodie avant de saluer son amie puis raccrocher.

Le soir où Brad avait léché ses doigts pleins de chocolat, il était prêt à satisfaire tous ses désirs. Malheureusement, elle avait dû être particulièrement convaincante quand elle avait exprimé son refus de poursuivre plus avant l'expérience, parce que, quand il lui avait confisqué son triple cheese-burger, avec supplément de cornichons, il n'avait plus semblé aussi désireux de la combler sur un autre plan...

Au souvenir de ce faux pas, Jodie sentit son visage s'empourprer. Après une semaine irréprochable, pendant laquelle elle avait suivi à la lettre toutes les instructions de Brad Morgan — allant même jusqu'à résister à l'attrait de la voiture-bar, à l'aller et au retour, le jour où elle s'était rendue en train à Londres chez le couturier —, elle avait fini par craquer.

Victime d'un coup de blues, elle avait éprouvé un besoin irrépressible de se réconforter en s'adonnant à son péché mignon, la gourmandise.

Et tout ça, à cause de Brad Morgan.

Depuis qu'elle avait failli tomber de bicyclette, il gardait ses distances et évitait soigneusement tout contact physique avec elle. Il ne se mettait plus jamais torse nu dans la cuisine et le matin, il se contentait de frapper à sa porte pour la réveiller.

Une semaine après son inscription au club, au moment de la peser et de prendre ses mensurations pour vérifier ses progrès, alors qu'elle attendait avec impatience le moment où il sortirait son mètre pour le passer autour de ses hanches, il s'était défilé. Prétextant un coup de téléphone important à donner, il avait délégué cette tâche à une des filles de l'équipe.

Plus elle faisait des efforts, plus Brad semblait éviter les moments d'intimité comme celui où, dans l'obscurité de l'atelier, tout aurait pu arriver si elle avait fait taire la voix de la raison et laissé son corps prendre le commandement des opérations.

Ce dernier se vengeait cruellement du fait que Jodie lui ait résisté. Il la consumait de désir en permanence. Quant à son cerveau, il ne lui était d'aucun secours. Pourquoi s'obstinait-il à lui présenter des images extrêmement précises de Brad torse nu, ou de son regard sombre et pénétrant, juste avant qu'il l'embrasse ? Elle avait même été jusqu'à imaginer que Brad lui effleurait la bouche du bout des doigts avant de lui prendre le visage entre les mains, et de la plaquer contre le mur le plus proche sans lui laisser aucune chance de s'échapper…

Plus Brad prenait ses distances, plus son désir pour lui s'accroissait. Jodie était devenue si sensible à sa présence qu'il suffisait qu'il entre dans une pièce pour qu'elle en ait la chair de poule. Et il était manifeste que le moindre effleurement de leurs épidermes déclencherait une décharge électrique.

Peut-être en était-il conscient, lui aussi.

Peut-être était-ce pour cette raison qu'il avait demandé à quelqu'un d'autre de prendre ses mensurations.

Ce jour-là, il avait tout de même consenti à la raccompagner chez elle. Mais le trajet s'était déroulé dans le silence le plus complet. Il était si absorbé dans ses pensées qu'elle n'avait pas osé prononcer un seul mot. Or s'il lui avait fait la conversation, elle n'aurait jamais remarqué le fast-food situé en contrebas de la route, au niveau du carrefour.

Fermant les yeux, Jodie se remémora cet épisode peu glorieux…

— Je vais me changer, avait annoncé Brad en la suivant dans la maison après avoir sorti la bicyclette du 4x4.

Il s'était empressé de gagner l'escalier pour éviter de rester en tête à tête avec elle dans la cuisine. Une fois en sûreté au bas des marches, il avait lancé :

— Si tu veux travailler un moment dans ton atelier, je peux faire les courses pour le dîner.

Histoire de garder ses distances.

A cet instant précis, quelque chose s'était brisé en elle. Elle avait été submergée par un besoin impérieux de s'offrir un excès de calories.

Puisque Brad n'était plus disposé à lui apporter le réconfort dont elle avait tant besoin, elle se passerait de lui. Certes, au départ c'était elle qui avait repoussé ses avances, mais elle avait bien le droit de changer d'avis…

— Merci, répondit-elle, déjà occupée à élaborer les détails de son plan. Toutes ces séances d'entraînement sont peut-être très bénéfiques pour mon corps, mais elles ne favorisent pas ma productivité.

— Tu as envie de quelque chose en particulier ?

— N'importe quoi sauf du poulet.

Allait-il enfin se décider à monter dans sa chambre pour se changer ? se demanda-t-elle en bouillant intérieurement. Curieusement, à présent qu'elle avait envie de le voir disparaître, il semblait peu pressé de s'en aller.

— Ou du poulet, si tu veux. Ça m'est égal, assura-t-elle.

Elle fut prise d'un tic nerveux à la pensée du festin qu'elle allait s'offrir dès qu'il aurait tourné le dos. Un

135

triple cheese-burger. Le remède infaillible contre les perturbations émotionnelles. Satisfaction garantie.

— Je vais travailler, annonça-t-elle en se dirigeant vers la porte donnant sur la cour.

Mais Brad ne bougea pas pour autant, et elle fut obligée de prendre le chemin de son atelier comme si elle avait réellement l'intention de travailler. Elle alluma la lumière et l'ordinateur, et se mit à tourner en rond fébrilement en maudissant Brad. Qu'avait-il donc à s'éterniser dans la cuisine. C'était à croire qu'il le faisait exprès !

Finalement, au bout d'une éternité, elle vit enfin la lumière s'allumer dans la salle de bains. Se précipitant dehors, elle sauta sur sa bicyclette et fila au fast-food, où elle s'arrêta en dérapage contrôlé devant le comptoir en criant sa commande.

— Et avec ça ? Des frites ? Une boisson ?

— Rien, merci.

Pas question de traîner si elle voulait être rentrée avant que Brad s'aperçoive de son absence. Elle lui avait trouvé un air bizarre... Comme s'il pouvait lire dans ses pensées.

Non. Impossible. S'il pouvait lire dans ses pensées, elle n'aurait pas besoin d'un triple cheese-burger...

Après avoir payé, elle alla s'installer sur un banc pour pique-niqueurs, insensible au froid.

Les yeux fermés, elle était sur le point de mordre à belles dents dans le cheese-burger défendu, quand elle ressentit un léger fourmillement dans la nuque. Elle n'était pas seule...

Ouvrant les yeux, elle regarda le cheese-burger. Puis, avec un mauvais pressentiment, elle se retourna.

— Tu es tellement prévisible, dit Brad en lui enlevant son festin des mains.

Il le remit dans son emballage, puis, ignorant ses lamentations pitoyables, il le jeta dans la poubelle la plus proche.

— Comment as-tu deviné ? demanda-t-elle, suffoquée par la frustration.

— Tu étais aussi tendue que des cordes de guitare.

— Mais comment as-tu deviné que je viendrais ici ?

— Tu as frémi comme un chiot affamé quand nous sommes passés en voiture.

— J'ai faim. J'ai juste besoin de…

— Tu n'as pas faim. Pas de nourriture en tout cas.

Il enfonça les mains dans ses poches comme pour s'empêcher de l'étrangler.

— Tu sais, tu as été héroïque cette semaine, Jodie.

Pourquoi ne l'avait-il pas dit plus tôt ?

— Je n'ai pas perdu un seul kilo, objecta-t-elle.

— Oublie tes kilos. Tu finiras par les perdre si tu persévères. Mais ce n'est pas le plus important. Tu parais déjà plus grande. Ta démarche est plus souple et ta silhouette plus élancée. Il y a une semaine, tu n'aurais jamais pu venir jusqu'ici à bicyclette.

— Il y a une semaine, je n'avais pas de bicyclette.

Et elle n'en aurait pas eu besoin. Pour la bonne raison qu'une semaine plus tôt, il lui aurait suffi d'ouvrir son réfrigérateur pour y trouver tout ce dont elle avait besoin.

— Tu n'es même pas essoufflée, fit observer Brad.

— Pourquoi m'as-tu fait tout ces compliments ? A présent, non seulement j'ai toujours faim, mais en plus je me sens coupable !

— Avec raison. Quant à moi, je n'aurais pas dû te quitter des yeux. Heureusement que je suis allé à l'atelier. Je voulais te demander si tu aimerais dîner dehors ce soir.

— Dîner dehors ? En plein régime ?

— Nous abordons la deuxième phase du programme. T'apprendre à manger au restaurant sans faire d'écarts. J'étais donc plein de bonnes intentions. Mais toi, tu avais fugué.

— J'avais besoin…

Jodie s'interrompit. C'était tellement pathétique…

Elle avait besoin qu'il s'occupe d'elle. Qu'il la prenne dans ses bras. Elle mourait d'envie de reprendre là où ils en étaient restés le premier soir dans l'atelier, avant que la voix de la raison vienne mettre la pagaille et qu'ils se retranchent tous les deux derrière des barricades. Malheureusement il était impossible de le lui avouer.

— Je crois que je suis vraiment très nulle, Brad.

— Navrante, en effet, acquiesça-t-il.

Sans l'ombre d'un sourire.

— J'ai trahi ta confiance. Je suis désolée.

S'il savait à quel point elle l'était ! Pas pour le cheese-burger. Pour avoir gâché l'occasion de passer la soirée en tête à tête avec lui dans un cadre civilisé, après s'être pomponnée pour lui faire honneur. Au lieu de suer à grosses gouttes dans une salle de sport.

— Après tout le mal que tu t'es donné, tu mérites mieux.

— Non, Jodie. C'est toi qui t'es donné du mal. C'est toi qui mérites mieux. Ce n'est pas pour moi que tu fais tout ça.

Son ton véhément la fit tressaillir.

— Très franchement, je te trouve très séduisante telle que tu es, cheese-burgers ou pas. Cependant, mon opinion ne compte pas. Tu as jeté ton dévolu sur Charles Gray et si l'on en croit la rubrique mondaine, il aime les sacs d'os.

— Mais non, ce n'est pas...

— Oui ?

Heureusement qu'elle s'était reprise à temps ! Elle était sur le point de lui avouer que ce n'était pas pour impressionner Charles Gray qu'elle faisait tous ces efforts... Mais alors pourquoi ? Car ce n'était pas seulement pour elle-même, ça elle le savait.

Et si c'était pour impressionner Brad Morgan ?

Non. Complètement ridicule...

— Je ne suis pas un sac d'os, fit-elle observer.

— Non.

— Je n'en serai jamais un.

— Ça paraît peu probable, en effet.

Il aurait pu au moins faire mine d'hésiter un peu avant d'acquiescer ! songea-t-elle avec dépit. Même s'il avait raison.

— Jodie, je rentre à la maison.

Elle tressaillit. Il s'en allait. A cause d'un minuscule incident avec un cheese-burger ? Un cheese-burger qu'elle n'avait même pas goûté ! N'avait-elle pas droit à une seconde chance ?

— Dois-je mettre la bicyclette à l'arrière de la Jeep ? demanda-t-il. Ou puis-je te faire confiance pour rentrer avec ?

Il parlait de sa maison à elle ! Une onde de plaisir la parcourut, effaçant instantanément son besoin de calories.

— Je ne trahirai plus ta confiance, assura-t-elle en frissonnant de froid. Mais je préfère rentrer en voiture avec toi. S'il te plaît.

Quand il la prit par le coude après lui avoir ouvert la portière, une vague de désir la submergea. Prise d'une impulsion, elle se tourna vers lui, plongea son regard dans le sien avec une hardiesse qui la surprit elle-même et lui dit :

— Ai-je droit à une compensation pour avoir été privée de cheese-burger ?

A quel genre de baiser pouvait équivaloir un triple cheese-burger ? se demanda-t-elle. Elle était peut-être sur le point de connaître la réponse...

— Une compensation ?

La voix de Brad ne fut qu'un murmure, mais elle fit naître au plus profond de Jodie une émotion si violente qu'elle en fut effrayée. Seigneur ! Pourquoi s'était-elle exposée volontairement à un tel danger ?

— Qu'as-tu en tête, Jodie ?

Avant qu'elle puisse réfléchir à une réponse, il effleura sa lèvre inférieure de son pouce, puis se pencha sur elle pour répéter sa caresse du bout de la langue.

— Quelque chose comme ça ?

Sans attendre sa réponse — de toute façon, elle avait perdu l'usage de la parole — il lui mordilla la lèvre supérieure, tout en prenant son visage entre ses mains

140

et en la plaquant contre le métal froid de la carrosserie. Son fantasme se réalisait ! songea-t-elle confusément, tandis qu'il approfondissait son baiser. Elle glissa les mains sous la chemise de Brad et laissa échapper un gémissement en sentant une jambe ferme et musclée se glisser entre ses cuisses.

Les cris d'encouragement de gamins qui passaient à côté d'eux mirent prématurément fin à ce baiser. Mais même s'il avait duré pendant un millénaire, il aurait été encore trop court… Gina d'abord, Brad ensuite lui avaient demandé ce qu'elle voulait réellement. A présent, elle le savait enfin. C'était lui qu'elle voulait. Et personne d'autre.

— Es-tu consolée de la perte de ton cheese-burger ? murmura-t-il en s'écartant légèrement d'elle sans la lâcher.

— Hmm, ça va, répliqua-t-elle, enflammée par son regard brûlant.

— Tu es sûre ?

— Absolument… C'est parfait.

Il ne semblait pas convaincu, constata-t-elle.

— Le cheese-burger était en promotion, précisa-t-elle avec un sourire mutin.

Pendant un long moment, il resta immobile, la dévorant des yeux comme s'il s'apprêtait à se jeter sur elle. Puis il s'écarta et elle se hissa sur le siège sans cesser de le regarder, tandis qu'il refermait doucement la portière sur elle. Il prit tout son temps pour charger la bicyclette. Histoire sans doute de se remettre de ses émotions.

Lorsqu'il s'assit derrière le volant, il semblait avoir retrouvé son sang-froid. Alors que de son côté, elle était en proie à une langueur délicieuse qui lui donnait l'impression de flotter dans du coton.

Au bout d'un moment, elle déclara d'un ton qu'elle espérait enjoué :

— Je suppose qu'après mon grave manquement au règlement, l'invitation à dîner ne tient plus ?

Après tout, il fallait bien que quelqu'un brise le silence, songea-t-elle en prenant bien soin de garder les yeux sur la route.

— En effet, ce soir tu es au pain sec et à l'eau.

— Ce n'est pas juste ! Je n'ai même pas mordu dans le cheese-burger.

Du coin de l'œil elle vit un sourire se dessiner sur les lèvres de Brad.

— Je pourrais peut-être me montrer magnanime et t'accorder une fine tranche de fromage sans matières grasses avec le pain.

Un immense soulagement envahit Jodie.

— Et peut-être un verre de vin rouge, ajouta-t-il.

— Sans rien manger de plus consistant ? Il me monterait directement à la tête ! Nous pourrions retourner au fast-food et prendre des frites, par exemple.

— As-tu essayé le restaurant italien qui se trouve près de la cathédrale ?

Stupéfaite, elle ouvrit de grands yeux.

— Je n'en ai pas les moyens.

Et lui non plus, bien sûr. Mais puisque ce dîner faisait partie du programme de remise en forme, sans doute avait-il prévu de faire une note de frais. Devait-elle s'en offusquer ? Elle y réfléchirait demain matin…

142

— Tu as vraiment fait preuve d'un grand courage, cette semaine, Jodie. Si tu dois faire un écart de régime, tu mérites beaucoup mieux qu'un cheese-burger.

Jodie fut envahie par une joie inexprimable.

— Pour une fois, je suis entièrement d'accord avec toi, répliqua-t-elle, le cœur en fête.

— Salut, Brad ! dit Gina en répondant au téléphone. J'avais justement l'intention de t'appeler dans un moment. Comment ça va ?

— Le club fonctionne comme sur des roulettes. Tu as choisi une excellente équipe, Gina.

— Et Jodie ? Comment ça se passe pour elle ?

— Mieux qu'elle ne le pense. Il est vrai que la perte de poids n'est pas spectaculaire, mais elle commence à se muscler et elle n'est plus essoufflée après avoir marché pendant un kilomètre.

Et la veille au soir, elle était tout simplement sublime, songea-t-il en se remémorant leur arrivée chez Alfredo. Quelle allure elle avait dans sa robe décolletée, resserrée à la taille par une large ceinture qui mettait en valeur ses courbes féminines. D'ailleurs toutes les têtes s'étaient tournées vers elle, se rappela-t-il, le souffle court.

— C'est un net progrès, commenta Gina, interrompant le fil de ses pensées.

— Il faut dire que je me suis montré inflexible. Elle n'a dérapé qu'une seule fois et je suis intervenu avant qu'elle ait eu le temps de mordre dans l'objet du délit.

— Bravo.

Il se garda bien de préciser à Gina qu'après l'avoir empêchée de succomber à la tentation, il l'avait invitée à dîner dans le restaurant le plus cher de la ville.

Contrairement à ce qu'il avait prétendu, ça ne faisait pas partie du programme de remise en forme. En réalité, il avait envie de faire plus ample connaissance. Pourtant, il avait vraiment tenté de garder ses distances. Mais il lui avait bien fallu se rendre à l'évidence : il avait très envie de la connaître. Intimement.

Ils avaient passé la soirée à parler de tout et de rien. De musique. Des films qu'ils avaient aimés. De leurs voyages. Et même de sa célèbre sœur, se rappela-t-il.

Oubliant qu'il était au téléphone, Brad se retrouva de nouveau chez Alfredo, attablé en compagnie de Jodie, si belle, si émouvante...

— Où en sont les préparatifs du mariage ? lui avait-il demandé.

— Ils se déroulent avec la précision d'une campagne militaire et le même niveau de confidentialité, avait répondu Jodie. Je ne suis pas sûre que Natasha elle-même connaisse la date exacte. A présent que le magazine *Celebrity* est impliqué, j'ai l'impression que tout ce que nous avons à faire c'est d'apprendre notre texte et d'entrer sur scène quand on nous appellera. Et puisque la demoiselle d'honneur a un rôle muet...

Elle haussa les épaules en souriant.

— Tu aurais aimé être célèbre ? Comme ta sœur ?

— Ma mère avait prévu de donner à l'Angleterre une nouvelle dynastie de comédiens. Malheureusement, je n'avais pas l'étoffe d'une star. Elle n'a pourtant pas ménagé ses efforts, la pauvre ! J'ai suivi de nombreux cours, mais sa déception a été cruelle. Deux pieds gauches, sourde comme un pot et complètement muette, dès que je devais jouer en public ! Ce qui, rétrospectivement, m'apparaît comme une excellente chose.

— Tu sembles avoir surmonté ta timidité.

Elle arqua un sourcil interrogateur.

— Tu as enseigné, précisa-t-il.

— Ça n'a rien à voir. Quand je connais mon sujet, je suis intarissable, que l'auditoire soit nombreux ou pas. Mais demande-moi de réciter un poème, et je perds mes moyens…

Elle frissonna au souvenir de cette période.

— Tu ne peux pas savoir quel soulagement j'ai éprouvé quand Natasha a commencé elle aussi à suivre des cours de théâtre et que son talent a éclaté. J'ai pu laisser tomber, et rester tranquille dans mon coin avec une boîte de crayons de couleur et un paquet de chips…

Le front de Jodie se plissa imperceptiblement et Brad eut la conviction qu'un déclic venait de se produire en elle. Sans doute venait-elle de faire le lien entre ses tendances boulimiques et le fait d'avoir déçu les espérances de sa mère. Inconsciemment, elle avait dû se sentir rejetée quand toute l'attention de cette dernière s'était reportée sur sa sœur cadette.

— Si tu me parlais un peu de toi, à présent ? reprit-elle. As-tu toujours eu envie de jouer au rugby ?

— Oui, répondit-il aussitôt sans protester contre ce changement abrupt de sujet.

S'il ne tenait qu'à lui, Jodie n'aurait plus jamais l'occasion de se sentir rejetée. Il était prêt à lui prouver qu'elle était tout aussi digne que sa sœur d'être choyée et admirée. Elle avait besoin d'être aimée pour elle-même, et pas parce qu'elle aurait réussi à perdre quelques kilos.

— L'université a moins représenté pour moi une chance de cultiver mon esprit, qu'une occasion de m'adonner à ma passion du rugby.

— Tu as quand même eu ton diplôme ?

— Oui, quand même, répondit-il en souriant.

— Et après l'université ?

— J'ai joué pour mon club, puis en équipe nationale. J'étais devenu la nouvelle étoile montante du rugby.

— J'aurais dû entendre parler de toi, déclara-t-elle, l'air perplexe.

— Vraiment ? Tu t'intéressais au rugby à... disons treize, quatorze ans ?

— Non, c'est vrai. Et ta carrière a été prématurément interrompue par ta blessure. Ça a dû être une épreuve très douloureuse.

Il haussa les épaules avec philosophie.

— La vie continue. Et puis, il y a pire...

Il avait dû laisser transparaître un reste d'amertume, songea-t-il en entendant Jodie affirmer d'une voix très douce.

— Il y a eu autre chose, n'est-ce pas ? Tu n'as pas été blessé qu'à la jambe.

— La vie continue, mais quand on passe en une fraction de seconde du statut de meilleur espoir de l'équipe nationale à celui d'infirme, on ne reçoit pas toujours le soutien auquel on aurait pu s'attendre.

— C'est à cause d'une femme.

Ce n'était pas une question.

— Tu étais amoureux d'elle ?

146

Il ne tenta pas de nier.

— Eperdument. Et j'étais assez naïf pour penser que c'était réciproque. Mais il faut croire qu'elle n'était amoureuse que de ma gloire naissante.

Jodie posa une main sur la sienne sans rien dire. Mais son regard plein d'une compassion qui n'avait rien de larmoyant le bouleversa.

Elle était si sincère, si spontanée. Il n'y avait pas la plus infime trace d'hypocrisie ou de calcul chez elle. D'autant plus qu'elle le prenait pour un type qui non seulement n'avait pas eu de chance, mais n'avait pas non plus un avenir très brillant.

— Ça fait douze ans, dit-il pour la rassurer. Depuis, beaucoup d'eau a passé sous les ponts. Il y a eu de nombreuses femmes.

— Mais pas une seule à aimer, commenta-t-elle comme si elle connaissait sa vie sans qu'il ait besoin de la lui raconter. Ou peut-être as-tu refusé de prendre le risque d'être amoureux ?

Sa voix était pleine de mélancolie. Comme si l'expérience lui avait appris, à elle aussi, à s'enfermer dans sa carapace pour éviter de revivre une souffrance intolérable. Bon sang ! Avec quel plaisir il tordrait le cou à Martin Jackson !

— Je m'en suis remis, Jodie, assura-t-il.

Et tandis que la chaleur de ses doigts féminins se communiquait peu à peu aux siens, il prit conscience que c'était enfin vrai.

— Il est temps de passer à la suite…

*
* *

— Brad ?

La voix de Gina le ramena au présent.

— Tu es toujours là ?

— Désolé, Gina, j'étais en train de penser...

— A Jodie ? Elle est là ?

— Non, elle est à Londres. Essayage de la robe, en urgence.

— Oh.

— Je lui ai préparé une surprise pour demain. Elle pense avoir rendez-vous au club pour sa séance de torture habituelle, mais en réalité je l'ai inscrite à un programme complet de remise en beauté. Soins de la peau, maquillage, coiffeur, manucure. Le grand jeu.

— Mince ! J'aimerais être là pour voir ça. J'espère que tu vas prendre des tas de photos.

Les fameuses photos « avant, pendant, après », songea-t-il avec un pincement au cœur.

— Ne t'inquiète pas, il y en aura un grand choix. C'est justement à ce propos que je t'appelle. Sommes-nous vraiment obligés d'en passer par là ? As-tu signé un contrat ?

— Pardon ?

— Avec *Celebrity* ? J'ai cru comprendre qu'ils couvraient le mariage. Ou bien était-ce avec un de leurs concurrents ?

— Je n'ai pas la moindre idée de ce dont tu parles.

— De l'arrangement que tu as passé avec Jodie. Tu ne lui as pas accordé trois mois d'abonnement gratuit en échange d'un article sur sa transformation dans un magazine ? Pour faire de la publicité au Club du Lac ? insista-t-il comme Gina ne répondait pas. Genre :

« Comment Cendrillon devient demoiselle d'honneur de rêve grâce au Club du Lac ? »

— Pas du tout ! Jodie doit réaliser un panneau mural pour la réception. Voilà le marché. Et à mon avis, c'est le club qui est gagnant. Jodie Layton n'est peut-être pas aussi célèbre que sa sœur, mais elle le sera bientôt.

» Quoi qu'il en soit, il est hors de question d'utiliser des photos de Jodie — ou de quiconque, d'ailleurs — en train de transpirer sur l'un des appareils de mon club de gym. Pas même pour le coup de pub du siècle. Et si ça m'oblige à chercher un autre travail, j'y suis prête. Suis-je assez claire ? » demanda Gina, visiblement indignée.

Limpide, songea Brad. Décidément, il ne s'était pas trompé sur Gina. Son honnêteté et sa rigueur ne faisaient aucun doute. Sa promotion était assurée.

— Inutile de chercher un autre travail, Gina. Tu viens d'en trouver un. Je comptais t'en parler à ton retour, mais le moment me semble bien choisi pour t'annoncer que je veux te confier la responsabilité du département des centres de remise en forme. La direction générale et tout ce qui va avec.

Il y eut un silence prolongé.

— Je serai heureuse d'en discuter avec toi, Brad, déclara finalement Gina. Si tu t'engages solennellement à ne pas utiliser ces photos.

— Si je t'ai appelée, c'est justement parce que cette perspective me répugnait et que je voulais m'assurer que tu n'avais signé aucun contrat à ce sujet, lui rappela-t-il d'un ton apaisant. Je suis heureux de constater que nous sommes sur la même longueur d'onde.

Jodie était censée travailler, mais quand Brad passa la tête par la porte de l'atelier, il la trouva les yeux dans le vague, devant les différents lés qu'elle avait commencé à assembler pour son panneau « hiver ». Apparemment, ce dernier n'avait pas beaucoup progressé.

— Je croyais qu'il devait être terminé la semaine dernière, dit-il.

— C'était le délai que je m'étais imposé. Heureusement, il me reste encore deux semaines avant la livraison.

— Dans ce cas, tu as le temps de faire une pause. Je suis sur le point de concocter la meilleure omelette du monde. Ça te tente ?

— Merci, mais je n'ai pas très faim, répondit-elle d'un air absent.

— Apparemment, tu n'as pas très envie de travailler non plus.

Il s'approcha d'elle et lui prit la main. En dépit d'une hausse de température annonçant le printemps, celle-ci était glacée.

— Allons, laisse ça, dit-il en l'encourageant à se lever.

Elle se laissa conduire jusqu'à la cuisine.

— Du thé ? proposa-t-il. Du café ? Un verre de vin ?

— Est-il normal que tu m'encourages à boire des stimulants ?

— Ce programme de remise en forme n'est pas une punition, Jodie. Il a uniquement pour objectif de t'inciter à avoir une alimentation plus équilibrée et à faire un peu d'exercice. Afin de te sentir mieux dans ta peau. Aujourd'hui, tu es allée au club à bicyclette, tu as fait une heure de gymnastique, et ensuite tu es rentrée à

150

bicyclette malgré ma proposition de te ramener en voiture. Tu mérites largement de te faire plaisir.

Elle eut un sourire absent.

— J'ai regardé dans le bureau pour voir si tu étais prêt, mais tu parlais au téléphone. On aurait dit un homme d'affaires discutant d'un contrat d'un million de dollars.

— Plusieurs millions, rectifia-t-il.

A sa grande joie, Jodie éclata de rire. Enfin, elle se déridait !

— Excuse-moi ! plaisanta-t-elle.

— Si je te disais la vérité, tu ne me croirais pas, déclara-t-il en souriant.

— Vraiment ?

— Vraiment.

Une occasion inattendue venait de se présenter à lui. Celle de racheter un canal abandonné au cœur de la zone industrielle. C'était un projet gigantesque, encore plus ambitieux que le Club du Lac. Il comportait de gros risques, mais c'était une chance de transformer un quartier délabré en lui redonnant vie. Logements, bureaux, salles de conférences et équipements de loisir. C'était le grand défi dont il avait besoin pour ne pas périr d'ennui. Et pour l'aider à s'arracher au Club du Lac.

Sauf que rien ne pourrait l'en détacher tant que Jodie aurait besoin de lui…

Il ne lui dit rien de tout cela, bien qu'il en mourût d'envie. Si seulement il pouvait partager son enthousiasme avec elle, l'emmener sur le site et lui expliquer ce qu'il avait en tête !

151

C'était bien la première fois de sa vie qu'il brûlait de tout partager avec une femme. Et il n'était pas sûr de savoir s'y prendre...

— J'aurais remis à plus tard la discussion du contrat si j'avais su que tu étais prête à partir, dit-il.

Ce qui était la pure vérité, songea-t-il avec étonnement.

— La promenade à bicyclette m'a fait du bien. Le temps se réchauffe, tu as remarqué ?

— Oui. Mais ce n'est pas une raison pour te tuer à la tâche, d'accord ? Tu me sembles un peu éteinte.

— Ce n'est pas l'exercice qui me déprime.

— J'ai vu que tu avais reçu une lettre de l'université. As-tu parlé à Martin Jackson ?

Elle secoua la tête.

— Je sais que cette conférence serait excellente pour ma carrière. Je serais folle de refuser. Mais je ne veux rien accepter de Martin. Même pas ça.

— Alors dis-le-lui.

— Mais...

— Il est venu te voir, Jodie. Il tient à ta participation. Tu l'as entendu aussi bien que moi. Il estime que le mariage de ta sœur est une bonne publicité pour l'université.

Brad s'efforça de conserver un ton neutre. Inutile de laisser transparaître l'opinion qu'il avait du personnage.

— Il considère que tu peux lui être utile.

— J'ai bien compris. Mais il est bien conscient qu'il serait suicidaire de ma part de refuser.

— Alors étonne-le.

152

Il tendit la main et attira la jeune femme contre son torse. Jamais il ne permettrait à quiconque de la faire souffrir ! Et surtout pas Martin Jackson.

Jodie ne lui résista pas plus qu'elle n'avait résisté à son baiser de bonne nuit, la veille, à leur retour du restaurant. Mais il n'était pas question de profiter de la situation. Jodie avait ses démons et même s'il brûlait de les terrasser, il fallait qu'elle affronte Martin Jackson elle-même avant de pouvoir passer à la suite. Cependant, il avait bien l'intention de la soutenir dans ce combat.

— Il y aura d'autres occasions. Laisse tomber cette conférence.

Elle leva vers lui un regard perplexe.

— Tu crois ?

— Je le sais. Montre-lui que tes blessures se sont refermées et que c'est toi qui contrôles la situation.

— Ça serait une grande première !

— Fais-moi confiance. Appelle-le demain matin à la première heure et donne-lui rendez-vous au club pour déjeuner.

Jodie arqua les sourcils, visiblement stupéfaite.

— Tu auras l'avantage d'être en terrain de connaissance, fit-il valoir.

— Et s'il refuse ?

— Ne lui en laisse pas la possibilité. Dis-lui simplement où et quand, et s'il tente de discuter, prétexte que tu es très occupée et raccroche.

Il eut un grand sourire.

— Ne t'inquiète pas, ça ne sera pas un mensonge. Tu peux me faire confiance.

— Tu sais, Brad, je suis prête à faire tout ce que tu veux, du moment que tu ne me demandes pas de monter sur le tapis de jogging ! s'écria-t-elle en riant.

Parfait, se dit Brad, ravi. Si elle était capable de plaisanter avec un tel rendez-vous en perspective, cela signifiait qu'elle était sur la bonne voie.

— Ne t'inquiète pas, dit-il. J'ai prévu autre chose pour demain matin.

— Hou ! Ça ne me dit rien de bon, commenta-t-elle sans demander de précisions. Mais explique-moi, monsieur « je-sais-tout » : je donne rendez-vous à Martin au restaurant... et ensuite ?

— Dis-lui qu'en d'autres circonstances, tu serais enchantée de donner cette conférence, mais que tu es malheureusement obligée de refuser pour des raisons personnelles. Inutile de les lui préciser. Il comprendra tout seul.

— Il comprendra peut-être, mais je l'imagine mal baisser les bras.

— Contente-toi de lui répéter que tu serais ravie de donner cette conférence, mais que tu es malheureusement obligée de refuser...

— ... pour des raisons personnelles.

Un petit sourire plein d'espoir étira les lèvres de Jodie.

— Il faut faire comme si on était très sûr de soi, même si ce n'est pas vrai, c'est ça ?

— Oui. Tu le laisses parler, puis tu répètes ton texte comme un perroquet jusqu'à ce qu'il finisse par entendre.

— Ça paraît facile, commenta-t-elle d'un air dubitatif.

— C'est du gâteau, crois-moi.

Sans la lâcher, il prit sur la table une bouteille de vin déjà ouverte et cala deux verres entre ses doigts.

— Viens. J'ai allumé un feu dans le salon. Allons déguster ce vin au chaud.

— Et l'omelette ?

— Elle attendra.

Sur ce, il l'entraîna vers un canapé recouvert d'un calicot crème aussi sobre que le reste du décor puis servit le vin.

— Bois. Ça va te réchauffer le cœur et te donner du courage.

Elle prit le verre d'un air perplexe.

— Pourquoi es-tu aussi gentil avec moi ?

— Parce que ça me fait plaisir. Parce que je te trouve très spéciale...

— Je... je ne sais pas quoi dire.

— Ne dis rien. Bois ton vin et apprécie le feu.

Posant son verre, il s'assit à côté d'elle et posa le bras sur le dossier du canapé, l'invitant à se blottir contre lui. Ce qu'elle fit comme si c'était la chose la plus naturelle du monde.

— Comment s'appelait-elle ?

Inutile de lui demander de qui elle parlait, songea-t-il. D'ailleurs, elle n'avait pas ressenti le besoin de le préciser.

— Lisa, répondit-il. Yeux bleus, cheveux blonds comme les blés. Elle ressemblait à un ange. Malheureusement, elle avait toutes les caractéristiques des figurines en plastique que l'on accroche en haut de l'arbre de Noël.

La jeune femme se détendit.

— Merci d'avoir accepté de me répondre.

— Pas de quoi.

C'était important pour Jodie, comprit Brad. Elle y avait pensé, elle avait pris la peine de demander, se dit-il, le cœur battant. Il savait à présent tout ce qu'il voulait savoir.

— A mon tour.

Elle leva vers lui un regard interrogateur.

— De te poser une question, précisa-t-il.

— Tu veux savoir ce qui s'est passé avec Martin.

En réalité, ça n'était pas difficile à imaginer, songea-t-il. Mais en parler lui ferait certainement le plus grand bien..

— Débarrasse-toi de cette épine, Jodie. Empêche-la de distiller du poison dans ton âme.

— Ce diplôme que tu as réussi à décrocher tout en jouant au rugby, ce n'était pas un diplôme de psychologie, par hasard ?

— C'est bien possible… Ça me dit vaguement quelque chose, plaisanta-t-il.

Jodie ôta ses chaussures et replia les jambes sous elle, puis but une gorgée de vin.

— Tu n'as pas besoin que je te raconte, dit-elle. Tu te doutes de ce que Martin m'a fait. Il m'a trahie.

— Raconte-moi.

Elle tourna son visage vers les flammes qui dansaient dans la cheminée, et commença son récit.

— Martin était allé à Londres. Il avait des tableaux à vendre. L'un des jeunes artistes talentueux qu'il avait repérés avait défrayé la chronique avec une œuvre spectaculaire et il voulait monnayer ses tableaux pendant que sa cote était au plus haut. Il avait emporté une autre œuvre pour la montrer à une galerie avec laquelle il

156

faisait des affaires. Il aidait les étudiants dont il avait acheté les œuvres à se faire connaître, afin de rentabiliser ses investissements.

D'une main légèrement tremblante, Jodie porta son verre à ses lèvres et but une gorgée de vin.

— Mon dernier cours de la journée avait été annulé. Un plafond s'était en partie effondré dans mon département après une grosse tempête. J'aurais pu rester sur place et m'occuper de la paperasserie en retard. Mais j'ai décidé de rentrer tôt et de préparer un bon petit plat pour le dîner. Je ne m'attendais pas que Martin soit là. Il ne m'a pas entendue entrer.

C'était arrivé ici ? Chez elle ? se dit Brad avec un pincement au cœur. C'était une éventualité qu'il n'avait pas envisagée. Et pourtant, ça expliquait le nettoyage par le vide qui avait abouti à ce décor dépouillé.

— Jodie…

— D'ici on n'entend pas la porte de la cuisine, précisa-t-elle, le visage crispé. Pendant un moment, je n'ai pas compris ce qui se passait… mais quand je suis entrée dans le salon et que j'ai vu…

— Jodie, je suis désolé. Tu n'es pas obligée de continuer…

Mais à présent qu'elle était lancée, elle avait besoin d'aller jusqu'au bout, comprit-il.

— Il n'était pas là depuis longtemps. Il avait seulement eu le temps de déboutonner son manteau. Il était assis sur le canapé, la tête en arrière, les yeux fermés, et une de ces étudiantes qui l'aimaient beaucoup parce qu'il les aidait à se faire un nom était à genoux… en train de le « remercier ».

— Il était avec une étudiante ?

— Je sais. Ça ne se fait pas. Mais ça arrive. Elle m'a supplié de ne pas en parler. Elle m'a juré que tout était sa faute. Qu'il l'avait appelée en rentrant de Londres pour lui annoncer qu'il avait vendu un de ses tableaux. Elle avait juste voulu lui prouver sa gratitude...

— Il a gravement enfreint la déontologie.

— Ce n'était pas une gamine, Brad. Elle avait vingt et un ans. Il n'a peut-être pas eu un comportement très reluisant, mais elle savait ce qu'elle faisait. Et franchement, je n'avais pas très envie de raconter à quiconque ce qui s'était passé.

Sauf à Gina, supposa Brad. Loyale, humaine, et prête à tout pour protéger son amie.

— Tu as choisi de te taire et d'abandonner un métier que tu aimais ?

— Je suppose que ça paraît stupide. J'ai mis Martin à la porte. J'ai récuré la maison de fond en comble. J'ai jeté tous les draps, toutes les serviettes...

Brad dut faire appel à tout son sang-froid pour ne pas la serrer contre lui en lui ouvrant son cœur. Elle n'était pas prête à l'entendre. Pas encore.

— Et tu as recouvert le canapé ?

— Le canapé ? Oh, non. Je l'ai vendu. Celui-ci est en piteux état, mais au moins, je peux vivre avec.

Elle soupira.

— Je pensais pouvoir m'en sortir de cette manière. Mais à chaque fois que je voyais une étudiante, l'image de Martin avec cette fille s'imposait à moi. Je me demandais si c'était sa seule incartade. Tout en sachant au plus profond de moi qu'il y en avait eu beaucoup d'autres. Je ne pouvais pas non plus m'empêcher de me demander lesquelles de ces ravissantes jeunes filles — et pourquoi pas, de ces beaux jeunes hommes ? — qui suivaient mes cours avaient témoigné leur reconnaissance à Martin.

— Demain, tu auras ta revanche. Et tu seras enfin libérée de lui.

Sur ces mots, Brad s'écarta de Jodie et se leva pendant qu'il en avait encore la force. Lui prenant la main, il l'attira vers lui.

— Allons faire cette omelette, à présent.

En refermant la porte du réfrigérateur, il demanda :

— Où est passée ta photo ?

Jodie haussa les épaules.

— Elle a dû tomber et rejoindre tous les petits pense-bêtes qui ont déjà glissé sous le réfrigérateur. J'en imprimerai une autre demain.

9.

— La personne avec qui tu as rendez-vous pour déjeuner est arrivée, Jodie, annonça une réceptionniste en passant la tête par la porte du bureau de Brad. Et celle avec qui tu as rendez-vous à 13 heures également, Brad.

Jodie, coiffée et maquillée comme une star, ne put s'empêcher de tressaillir.

— J'arrive...

Brad lui prit la main, l'empêchant de se lever.

— Conduis M. Jackson au bar, Lucy. Sers-lui un verre et donne-lui le menu. Dis-lui que Jodie est prévenue de son arrivée et qu'elle arrive dans une minute.

Quand la réceptionniste fut partie, il déclara :

— Fais-le attendre. N'oublie pas que c'est toi qui contrôles la situation.

— Ça ne m'empêche pas de trembler comme une feuille. Je suis sur le point de gâcher une occasion inespérée.

— Il y en aura d'autres.

— Peut-être. Mais il n'y a pas que ça. Je n'ai pas l'habitude d'imposer ma volonté.

— Alors tu vas passer un excellent moment.

Il l'encouragea du regard.

— Dis-le.

— Je vais passer un excellent moment ?

— J'espérais un peu plus de conviction, commenta-t-il avec un sourire attendri.

— Pour jouer la comédie, il faut s'adresser à ma sœur.

— Tu t'en sortiras très bien, assura-t-il en lui pressant la main. Tu es splendide, Jodie.

Elle baissa les yeux sur sa robe d'un air dubitatif. Celle-ci ne la boudinait plus, mais de là à dire qu'elle-même était splendide...

— Je crois que j'étais optimiste en voulant perdre deux tailles.

— Je te trouve parfaite telle que tu es.

Lui prenant le menton entre les doigts, il l'obligea à le regarder.

— Tu es splendide, insista-t-il en lui caressant la joue.

Elle réprima l'envie de lui rétorquer qu'il disait n'importe quoi. Après tout, il tentait de la rassurer. Il était incroyablement gentil. Et la veille au soir, il s'était comporté en parfait gentleman. Malheureusement.

Quelque chose lui disait qu'elle allait regretter jusqu'à la fin de ses jours de l'avoir repoussé le soir où il lui avait léché les doigts...

Réprimant un frisson, elle tenta de se ressaisir.

A partir de demain, ce serait terminé. Gina rentrerait de Los Angeles et Brad partirait de chez elle. Mission accomplie. Elle n'avait plus besoin de lui. Pas comme coach, en tout cas. Certes, elle n'avait pas minci de façon spectaculaire, mais elle était plus svelte et plus

161

musclée. Et surtout, elle avait repris confiance en elle. C'était ce qu'elle voulait.

Et si elle avait découvert trop tard que la seule chose qu'elle voulait vraiment, c'était Brad Morgan... eh bien, il lui faudrait vivre avec. Sans se goinfrer de chocolat ni passer ses nuits à sangloter contre son oreiller. La vie était trop courte.

Elle lui sourit.

— Si je suis « splendide », c'est à toi que je le dois, Brad.

— Des reflets dans les cheveux, une manucure, une séance de maquillage. Ce n'est pas grand-chose. Juste la cerise sur le gâteau. Tu es aussi belle en tenue de jogging. Ou même le matin au réveil, vêtue d'un pyjama en pilou, ajouta-t-il avec un sourire malicieux. Cela dit, quand c'est toi qui le portes, je trouve que c'est la tenue la plus sexy du monde.

Brad flattait son ego pour lui donner de l'assurance — rien de plus, se dit-elle tandis que son cœur s'affolait dans sa poitrine, gonflé d'espoir.

— C'est bien la psychologie que tu as étudiée à l'université, commenta-t-elle d'une voix légèrement tremblante.

— Est-ce qu'un psychologue embrasserait sa patiente ?

— Je ne sais pas. Vas-tu m'embrasser ?

Pour toute réponse, il posa sur ses lèvres un baiser aussi léger qu'une plume.

— Il ne faut pas ruiner ce savant maquillage, dit Brad en plongeant son regard dans le sien.

Jodie fut tentée de protester. Se remettre du rouge à lèvres ne lui prendrait pas plus d'une seconde... Mais mieux valait résister à la tentation. Surtout pour un baiser d'adieu…

— Allez, vas-y, dit-il. Martin Jackson a attendu assez longtemps. Va lui dire qu'il n'a rien à t'offrir qui puisse t'intéresser.

Il effleura de nouveau ses lèvres.

— Pendant ce temps, je vais faire visiter le club à un nouveau membre très important.

Quand Jodie traversa le bar, Martin leva la tête et arqua les sourcils, visiblement surpris par son apparence. Un petit sourire suffisant apparut sur son visage aux traits réguliers. Il pensait qu'elle avait fait des efforts pour l'impressionner, comprit-elle. Il la croyait encore à ses pieds !

Sans un mot, elle resta immobile devant la table, attendant qu'il se lève pour reculer sa chaise. Décontenancé, il mit un certain temps à comprendre avant de s'exécuter.

— Je t'ai à peine reconnue, commença-t-il. Tu as changé de coiffure. Perdu un peu de poids. Tu es étonnamment belle.

Le mufle !

— De l'eau plate. Sans glace, dit-elle.

Il la regarda d'un air ahuri.

— Ne m'as-tu pas demandé ce que je voulais boire ? précisa-t-elle.

Elle avait vu Natasha faire ça dans un film. C'était étonnamment efficace. D'ailleurs Martin rougissait !

163

Une serveuse passait justement à proximité de leur table. Martin la regarda en faisant un signe de la main et la jeune femme se dirigea aussitôt vers lui.

Comme d'habitude…, songea Jodie. Il suffisait à son ex-fiancé de darder sur une femme ces yeux sombres qui la déshabillaient, pour qu'elle soit inconsciemment attirée par lui. Il commanda de l'eau pour Jodie, un autre verre de vin pour lui, puis promena son regard sur la salle de restaurant.

— C'est un endroit agréable. Je ne suis pas très friand de sport mais ce genre de club attire une clientèle intéressante. Je crois que je vais m'y inscrire.

— Je demanderai à Gina de t'envoyer un formulaire, si tu veux.

— Gina ?

— C'est elle qui dirige le centre de remise en forme. Malheureusement, elle est en voyage d'affaires à Los Angeles. Je suis sûre qu'elle sera navrée de n'avoir pu te le remettre en personne.

Il eut un petit rire crispé.

— Je ne suis pas encore vraiment décidé.

— Tu as raison, ta demande risquerait d'être rejetée, acquiesça-t-elle d'une voix doucereuse.

— Tu n'as pas l'intention de te montrer désagréable, j'espère ? Je sais que tu m'en veux, mais ça fait presque un an. Et tu vois bien que j'essaie de me racheter. Le séminaire Armstrong…

— Je sais. C'est important pour ma carrière. Cependant, je vais décliner l'invitation.

Il eut un petit rire incrédule.

— D'accord. Je comprends que tu veuilles me faire lanterner, mais j'ai déjà prévenu le vice-président que tu acceptais. Il est enchanté de cette excellente publicité.

— J'espère que tu ne lui as pas promis que ma sœur viendrait m'écouter, parce qu'il va être doublement déçu.

Le sourire de Martin s'estompa. Apparemment, il avait enfin compris qu'elle était très sérieuse...

— Ce serait tellement plus agréable si tu te contentais d'accepter sans faire d'histoires, dit-il d'un air maussade.

Voilà qu'il utilisait la menace, à présent, songea Jodie, presque amusée. Malheureusement pour Martin, son appréhension s'était évanouie depuis qu'elle avait posé le regard sur lui. Cet homme avait piétiné tout son amour-propre. Heureusement, au cours des dernières semaines, elle l'avait retrouvé. Grâce à Brad Morgan.

— Nous savons tous les deux que c'est ta carrière que tu cherches à promouvoir, pas la mienne, affirmat-elle d'un ton posé.

Elle remercia d'un sourire la serveuse qui lui apportait son eau minérale. Pure perte de temps. Celle-ci n'avait d'yeux que pour Martin. Eh bien, elle avait toute sa sympathie... Elle aussi était passée par là. Mais fort heureusement, c'était terminé.

— Ma décision est irrévocable, Martin.

— Ceci te fera peut-être changer d'avis.

Elle aperçut la grande enveloppe marron, posée sur la table. Il la lui tendit.

— Qu'est-ce que c'est ? demanda-t-elle. Un mot personnel du vice-président ?

— Disons que c'est une incitation à te comporter en femme responsable.

— J'ai démissionné de ma fonction de paillasson il y a un an, répliqua-t-elle d'une voix égale.

Curieusement, elle ne ressentait pas la moindre amertume, constata-t-elle. Martin n'avait plus assez d'importance pour lui donner ce sentiment. Elle ouvrit l'enveloppe. A l'intérieur se trouvait une photo. Celle que Brad avait prise d'elle le premier jour, alors qu'elle était écarlate, en sueur et à bout de souffle, visiblement prête à rendre l'âme. La photo qui, jusqu'à la veille, était fixée sur son réfrigérateur…

Martin l'avait examinée avec insistance, se souvint-elle tout à coup.

— Tu es allé chez moi ? Tu as gardé une clé ?

— On ne sait jamais, ça peut toujours être utile, répondit-il sans le moindre embarras. Sais-tu combien les tabloïds seraient prêts à payer pour une photo de la grande sœur de Natasha en train de se préparer pour le mariage ?

Une fortune, bien sûr, songea-t-elle. Cela faisait deux semaines que les photographes campaient devant chez sa mère au cas où Natasha viendrait lui rendre visite.

— Pas exactement, mais je suis certaine que de ton côté, tu en as une idée très précise.

Elle résista à la tentation de déchirer la photo. Il en avait certainement réalisé des copies, de toute façon. Mieux valait le traiter par le mépris. Elle la lui rendit et se leva.

— Cependant, ça ne change rien à ma décision, poursuivit-elle. Quant au déjeuner, il est annulé.

Elle pivota sur elle-même, avec une seule pensée en tête : faire changer ses serrures…

Soudain, elle vit Brad, en grande conversation avec une femme très distinguée. Le nouveau membre important à qui il faisait visiter le club ? Une nouvelle cliente ? Une femme assez riche pour s'offrir ses services de coach ?

Depuis toujours, elle savait que Brad ne serait pas éternellement à son côté. Sa présence était un luxe dont elle avait profité pendant quelque temps, mais c'était déjà du passé.

Malheureusement, à en juger par ses battements affolés, son cœur avait nourri d'autres espoirs…

C'était stupide ! Si Brad avait eu l'intention de rester auprès d'elle, la veille au soir, il ne l'aurait pas quittée sur le seuil de sa chambre après lui avoir fait une bise sur la joue…

Tandis que les pensées se bousculaient dans l'esprit de Jodie, la compagne de Brad le quitta pour se diriger vers elle, la main tendue.

— Mademoiselle Layton, je suis ravie de vous rencontrer. Brad vient de m'expliquer que le club vous avait commandé un panneau mural, et quand il m'a dit que vous déjeuniez ici, je l'ai supplié de nous présenter, déclara-t-elle avec un sourire chaleureux.

— Jodie, je te présente Willow Armstrong, dit Brad en les rejoignant. Elle dirige le groupe Armstrong. Son mari est Mike Armstrong… le créateur de meubles, précisa-t-il. A qui l'on doit également le fameux séminaire Armstrong.

Comme si elle ne le savait pas ! songea Jodie, néanmoins abasourdie.

— Brad nous a fait l'honneur de participer au premier séminaire, précisa Willow Armstrong. Il a donné une conférence sur l'importance du sport dans l'éducation.

Elle se tourna vers lui en souriant.

— Il a réussi à sauver un grand nombre de terrains de sport convoités par des promoteurs. En payant de ses propres deniers. C'est un véritable mécène.

Tétanisée, la gorge nouée, Jodie était incapable de prononcer un mot. Seigneur ! Elle n'arrivait même pas à le regarder en face...

— Je... je ne savais pas, finit-elle par bredouiller.

Apparemment, il y avait beaucoup de choses qu'elle ne savait pas... Même Gina ne lui avait rien dit !

— J'apprécie énormément votre travail, mademoiselle Layton, déclara Willow.

— Jodie, s'il vous plaît.

— Jodie, répéta docilement Willow. J'ai chez moi une de vos œuvres. *Eveil de la nature.* Une pure merveille, aux couleurs très subtiles, précisa-t-elle à l'intention de Brad. J'y découvre chaque jour quelque chose de nouveau.

— Merci, murmura Jodie, au comble de la confusion.

— Brad m'a confié que vous aviez l'intention de refuser notre invitation à donner une conférence cette année. Je comprends que vous soyez très prise par votre art, mais j'espérais qu'en vous le demandant personnellement, je pourrais peut-être vous persuader de changer d'avis.

— Pourquoi ne déjeuneriez-vous pas ensemble pour en discuter ? suggéra Brad avant que Jodie puisse poser une seule des mille questions qui se bousculaient dans son esprit.

168

Puis, tournant la tête, il ajouta d'une voix mielleuse à l'adresse de Martin, toujours assis :

— Monsieur Jackson, ne vous a-t-on pas prévenu que votre présence était indésirable au Club du Lac ? Je vais vous reconduire à la sortie.

Un peu plus tard, Jodie trouva Brad dans le bureau de Gina. A moins que ça ne fût en réalité le sien ?

Parce qu'à en juger d'après certains propos de Willow, il était propriétaire du club. Et de bien d'autres choses…

Debout à la fenêtre, il regardait le lac. Visiblement, il l'attendait.

— Vous vous êtes mises d'accord ? demanda-t-il sans se tourner.

— Oui, confirma-t-elle, l'estomac noué par des émotions contradictoires.

D'abord, elle était furieuse contre lui. Comment avait-il osé la mener en bateau ? Elle avait une folle envie de l'étrangler. Alors pourquoi brûlait-elle également de se jeter dans ses bras ?

— Mais puisque c'est toi qui as tout arrangé, je ne vois pas pourquoi tu me poses cette question, dit-elle, soudain très zen.

Il ne confirma pas, mais ne nia pas non plus.

— Car Willow Armstrong n'est pas venue ici aujourd'hui par hasard, n'est-ce pas ?

— Non, en effet.

Il esquissa un sourire.

— J'aurais pu t'éviter cette ultime rencontre avec Martin Jackson, mais j'ai pensé que tu ne serais pas mécontente de l'envoyer toi-même au diable.

— Tu as eu raison, acquiesça-t-elle dans un souffle. Merci.

— Ne me remercie pas, Jodie. Je regrette seulement que tu n'aies pas vu la tête qu'il faisait quand Willow t'a demandé de changer d'avis à propos de la conférence.

Cette fois, Brad eut un large sourire. Joyeux et plein de tendresse.

Bon sang ! Comment rester fâchée contre lui quand il lui souriait ainsi ?

— Que lui as-tu dit en le raccompagnant à la porte ? demanda-t-elle.

— Je lui ai fait comprendre qu'il avait tout intérêt à s'évanouir dans la nature et à ne plus jamais s'approcher de toi. Mais qu'importe Martin ? Que dirais-tu d'aller te promener ? demanda-t-il abruptement en montrant par la fenêtre la rive du lac baignée de lumière.

Jodie sentit alors une poigne de fer lui broyer le cœur. Le moment des adieux définitifs était arrivé…

— Faut-il que je m'échauffe avant ? plaisanta-t-elle bravement.

— C'est à toi de décider, répondit-il en jetant un coup d'œil appréciateur sur ses seins. Ces boutons vont-ils résister à l'effort ?

— Aucune chance.

— Alors vas-y, échauffe-toi, s'il te plaît.

Ce qu'elle vit dans son regard la fit rougir. Elle lui abandonna sa main et se laissa entraîner dehors.

— Je crains que Martin finisse quand même par avoir le dernier mot, déclara-t-elle.

Il fallait bien dire quelque chose ! Et il n'était pas question de lui avouer ce qu'elle ressentait pour lui...

Elle lui parla de la photo.

Il eut une moue dépitée.

— Gina va me tuer. Je lui ai donné ma parole qu'aucune photo ne serait publiée.

Il la regarda attentivement.

— Vas-tu pouvoir faire face ?

— Ça me serait sans doute difficile si j'avais toujours la même allure. Mais à présent, je me sens invulnérable. Et puis, il y a une vue intéressante du club en arrière-plan. Ce sera une excellente publicité pour Gina.

Elle inspira profondément avant d'ajouter :

— Et pour toi, bien sûr.

— Gina ne va pas du tout apprécier.

Il lui expliqua le malentendu.

— Tu pensais que toutes ces photos allaient servir à promouvoir le Club du Lac ? Eh bien, merci ! s'exclama-t-elle sans parvenir à ressentir une réelle indignation.

— Si ça peut te consoler, je préfère de loin un original de Jodie Layton à la plus spectaculaire des campagnes de promotion.

Ce qui expliquait pourquoi il avait été aux petits soins pour elle, songea Jodie avec un pincement au cœur. Retirant sa main de la sienne, elle déclara :

— Inutile de t'inquiéter. J'expliquerai à Gina ce qui s'est passé. Mais j'aimerais beaucoup que tu m'expliques pourquoi personne ici ne te traite comme un homme d'affaires multimillionnaire…, demanda-t-elle en s'asseyant sur un banc qui se trouvait au bout du quai.

— Peut-être parce que je n'en ai pas le comportement ? suggéra-t-il en prenant place à son côté.

Il étendit un bras sur le dossier derrière elle.

Retenant son souffle, elle tenta d'ignorer la douceur avec laquelle ses doigts effleuraient sa nuque. Brad Morgan était à la tête d'un empire qui pesait plus de millions qu'elle ne pouvait imaginer. Mais pendant trois semaines, il avait dormi dans sa chambre d'amis. Il avait cuisiné. Lavé la vaisselle. Partagé les corvées.

Il l'avait aidée à retrouver sa confiance en elle. Son amour-propre.

Pour un simple panneau mural ? C'était peut-être flatteur pour son ego d'artiste, mais était-ce vraisemblable ?

— T'arrive-t-il souvent de te mettre en disponibilité pour jouer les coachs à domicile ?

— Non, Jodie. C'est la première fois. Et la dernière.

— C'était si pénible que ça ?

— Eh bien, disons que la plomberie m'apporte plus de satisfaction.

Elle devint écarlate.

Dire qu'elle lui avait demandé de changer les joints de ses robinets !

— Je suis vraiment confuse…

Il posa un doigt sur ses lèvres.

— Ai-je eu l'air de souffrir pendant mon séjour chez toi ? Et n'ai-je pas rempli au mieux mes fonctions de coach ?

172

— Si. Tu as été fantastique. D'ailleurs, j'ai dit à Gina...

Elle se mordit la lèvre.

Impossible de lui répéter ce qu'elle avait dit à Gina !

— Ne t'inquiète pas, elle ne m'a rien répété de tes confidences, assura-t-il avec un sourire malicieux.

Inutile de se demander pourquoi, songea-t-elle. C'était évident. Gina avait joué les Cupidon et sa flèche avait atteint sa cible.

— Pourquoi m'as-tu laissée dans l'erreur ? demanda-t-elle en frissonnant à cause de la fraîcheur qui montait du lac.

Brad ôta sa veste et lui couvrit les épaules, qu'il entoura de son bras.

— C'est ce que je me demande depuis hier soir, avoua-t-il.

Un canard qui les avait repérés nagea jusqu'au quai dans l'espoir de recueillir des miettes de pain.

— Au début, ça ne semblait pas important. Tu étais juste une cliente qui avait besoin d'un coach.

Seigneur ! Dans quel état déplorable elle se trouvait à l'époque de leur rencontre ! se rappela-t-elle. Prête à tout pour séduire Charles Gray le jour du mariage...

Elle avait l'impression qu'une éternité s'était écoulée depuis !

— Mais très rapidement, j'ai éprouvé pour toi une attirance irrésistible. Le soir où tu as craqué pour le chocolat, tu as cru que j'agissais par compassion. En réalité, je n'avais jamais autant désiré une femme.

— Pourtant c'était avant...

— Avant que tu t'affines et que tu changes de coiffure ? Absolument.

Jodie poussa un petit soupir de satisfaction et de nostalgie mêlées.

— Si j'avais su ! Moi non plus, je n'ai jamais éprouvé un tel désir pour un homme. Après ton départ de l'atelier, j'ai failli m'évanouir de frustration.

— Tu étais si vulnérable que je n'ai pas voulu insister. Si je t'avais avoué ce soir-là ce que j'éprouvais pour toi, tu ne m'aurais jamais cru. Or je ne l'aurais pas supporté. J'avais besoin d'être certain que mes sentiments étaient partagés.

Il lui caressa tendrement la joue avant de poursuivre.

— Et puis la nuit dernière, j'ai pris conscience que j'allais être obligé de t'avouer la vérité et que tu risquais de m'en vouloir de t'avoir menti.

— Tu ne m'as pas vraiment menti. J'ai tiré des conclusions hâtives et tu ne m'as pas détrompée.

— Tu es trop indulgente, commenta-t-il après avoir déposé un baiser sur sa tempe. Mais de toute façon, je ne pense pas que tu aurais été très à l'aise à la perspective de voir le patron de Gina s'installer dans ta chambre d'amis.

— En effet ! s'exclama-t-elle en riant. Tu n'as pas dû être très à l'aise non plus dans ce petit lit !

— J'ai eu des nuits sans sommeil, reconnut-il. Mais ça n'avait rien à voir avec le lit. La cause de mes insomnies, c'était la femme merveilleuse qui dormait de l'autre côté du couloir !

Il glissa son bras autour de sa taille et l'attira contre lui.

174

— Je t'aime, Jodie, murmura-t-il à son oreille.

La gorge nouée par l'émotion, elle posa sur lui un regard ébloui. Il avait un petit sourire enjôleur au coin des lèvres.

Un sourire qui semblait dire : « Si nous continuions cette conversation dans un endroit plus intime où je pourrais t'arracher tous tes vêtements et te prouver l'intensité de mon amour ? »

— Maintenant ? murmura-t-elle en réponse à sa question muette.

— Maintenant. Rentrons à la maison.

— Ah, te voilà !

Jodie sursauta. Sa mère ! Que faisait-elle au Club du Lac ?

— Je t'ai appelée toute la matinée. Pourquoi as-tu un téléphone portable si tu ne l'allumes jamais ?

Elle se planta devant eux.

— Dieu merci, tu es allée chez le coiffeur ! C'est assez réussi, d'ailleurs. Viens, ajouta-t-elle fermement. Nous n'avons pas beaucoup de temps.

— Pour quoi faire ?

Sa mère répondit par un signe de tête éloquent en direction de Brad. « Le mariage », articula-t-elle silencieusement. Puis elle reprit à voix haute :

— C'est ce soir. Pour tromper les... enfin tu sais..

— Les paparazzi ? lança Jodie d'une voix claironnante.

Dorothy Layton leva les bras en l'air dans un geste de désespoir.

— Pour l'amour du ciel ! Prends un mégaphone, pendant que tu y es !

— Maman, je te présente Brad Morgan. Brad, ma mère, Dorothy Layton.

Il tendit la main à sa mère, tout en continuant de la tenir fermement par la taille. De toute évidence, il ne la laisserait aller nulle part sans lui.

— Enchanté, madame Layton, dit-il d'un ton courtois.

— Enchantée, répliqua la mère de Jodie en daignant à peine lui jeter un coup d'œil. Chérie, il faut y aller.

— Brad vient au mariage, maman.

— Jodie ! On ne peut pas inviter quelqu'un à la dernière minute. Je suis désolée, monsieur…

— Gina n'est pas encore rentrée des Etats-Unis. Il… la représente.

Soudain nerveuse, Jodie regarda Brad. Peut-être n'avait-il aucune envie de venir…

— Jodie et moi nous avons une affaire en suspens, madame Layton, déclara-t-il d'un ton suave. Si vous tenez vraiment à ce qu'elle vous accompagne, je crains fort que vous soyez obligée de vous accommoder de ma présence.

L'espace d'un instant, la mère de Jodie parut sur le point de protester, mais elle finit par lancer d'un ton désinvolte :

— Oh, après tout… La cérémonie a lieu au château de Melchester à 18 heures. Il faut que tu arrives en avance pour t'habiller et te maquiller, Jodie. Je ne veux pas que tu gâches le plus beau jour de la vie de ta sœur. Alors ne sois pas en retard.

— Ne t'inquiète pas. Si tu gâches le plus beau jour de la mienne, ça n'a aucune importance, marmonna Jodie tandis que sa mère repartait d'un pas majestueux.

176

Brad lui tendit les clés de son 4x4 tout en sortant son téléphone portable de sa poche.

— Nous ferions mieux d'aller chercher des affaires chez toi. Pendant que tu conduis, je vais réserver une suite à l'hôtel du château de Melchester, expliqua-t-il en composant un numéro. Ainsi qu'un véhicule plus approprié.

Le château de Melchester était une ruine pittoresque très appréciée des aquarellistes du XIXe siècle. A proximité se trouvait un manoir Tudor, transformé en hôtel.

Brad et Jodie atterrirent non loin en hélicoptère.

Trois grooms se précipitèrent pour prendre leurs bagages, et parurent interloqués en constatant qu'ils n'avaient qu'un petit sac de voyage chacun.

— Nous pensions que c'était Mlle Layton qui arrivait, expliqua l'un d'eux.

— Je suis Mlle Layton, répliqua Jodie d'une voix ferme.

Après tout, c'était la pure vérité !

— Natasha Layton est ma sœur cadette, précisa-t-elle.

Sa mère attendait à la réception, vêtue d'un ensemble de soie bleu pâle et d'un chapeau à bord démesuré.

— Oh, c'est toi, Jodie, lâcha-t-elle, visiblement désappointée. J'ai cru entendre un hélicoptère.

— Je commence à avoir très envie de mordre dans un cheese-burger, marmonna Jodie entre ses dents. Mais je crois que je vais m'offrir quelque chose de plus raffiné, ajouta-t-elle en adressant à Brad un sourire complice.

**

Malgré le cadre majestueux, la cérémonie fut d'une grande simplicité.

Comme il se doit, la mariée était belle à couper le souffle. Quant au marié, il avait apparemment du mal à croire à sa chance, et son « oui » enthousiaste résonna longtemps dans l'atmosphère.

Charles Gray, aussi séduisant qu'à l'écran, n'avait pas oublié ni perdu les alliances, et plus tard, pendant la réception, il fit un discours concis mais spirituel, et porta un toast à la ravissante demoiselle d'honneur en déployant tout son charme, comme s'il jouait avec elle une scène en gros plan dans un mélo flamboyant. Peut-être avait-il répété cette scène pendant des semaines, mais ça ne se vit pas.

Les mariés ouvrirent le bal sous les applaudissements chaleureux de l'assistance. Puis Charles Gray invita Jodie à danser.

Son rêve était devenu réalité, songea-t-elle. Charles Gray était aussi sublime en chair et en os que sur la pellicule et il ne semblait pas insensible à son charme.

Mais elle s'en moquait éperdument. Ce qu'elle désirait le plus au monde, c'était danser avec Brad. Sentir ses bras puissants l'entourer et s'alanguir contre lui au rythme de la musique.

Malheureusement, un amateur de rugby avait reconnu ce dernier et il était à présent entouré d'une demi-douzaine d'hommes — dont son père — qui étaient visiblement en train de revivre minute par minute le dernier match de coupe du monde. Il tourna la tête vers elle et lui adressa un clin d'œil en souriant.

Ce sourire suggérait qu'il s'effaçait délibérément pour la laisser savourer cet instant dont elle avait tant rêvé.

Après tout, être obligée de se contenter de Charles Gray comme pis-aller, ça ressemblait beaucoup au comble du luxe... ou du snobisme !

Elle se laissa donc entraîner sur la piste et put constater qu'il jouait son rôle de danseur avec autant de professionnalisme qu'il interprétait ses personnages à l'écran. En prenant bien soin de toujours tourner au bon moment pour sourire aux caméras.

Ils n'avaient accompli qu'un demi-tour de piste quand Brad s'avança vers eux.

Il tendit la main à Jodie avec un sourire qui fit chavirer son cœur.

— Je crois qu'il est temps de régler cette affaire en suspens, murmura-t-il à son oreille.

Ce qui procura à Charles Gray l'occasion de donner une nouvelle preuve de son talent en improvisant un rôle inédit. Celui de la star de cinéma qui se voit pour la première fois de sa vie abandonné par une femme sur une piste de danse.

Très gentleman, il se pencha vers Jodie avec un sourire éclatant pour déposer une bise sur sa joue. L'instant fut immortalisé par un cliché qui figura en bonne place dans *Celebrity*.

Il serra ensuite la main à Brad en lui déclarant qu'il était un homme extrêmement chanceux. Ce à quoi Brad répondit qu'il en était parfaitement conscient.

Alors que Brad et Jodie amorçaient leur retraite, Dorothy Layton les arrêta au passage.

— Jodie, ta sœur va monter se changer.

— Elle n'a pas besoin de moi. Son mari est parfaitement capable de l'aider à dégrafer sa robe, répondit-elle en entraînant Brad vers l'escalier.

Mais ils ne purent y accéder. Les invités s'y étaient rassemblés, attendant que Natasha, qui se trouvait en haut des marches, lance son bouquet.

— Prenons l'ascenseur, suggéra Jodie.

Mais avant qu'ils aient le temps de s'esquiver, Natasha les aperçut.

— Jodie ! Attrape !

Puis elle pivota sur elle-même et lança le bouquet par-dessus son épaule.

Il vola bien trop haut au-dessus de la tête de Jodie pour qu'elle puisse l'attraper.

Toutefois, il fut intercepté sans le moindre effort par Brad. Tous les yeux se tournèrent vers lui et chacun retint son souffle.

Plongeant son regard dans le sien, il offrit le bouquet à Jodie en demandant :

— Accepteriez-vous de jouer le premier rôle dans une suite, mademoiselle Layton ?

— Une… suite ? bredouilla-t-elle, abasourdie.

— *Mademoiselle Layton se marie 2 !* lança une voix dans l'assemblée.

Il y eut un éclat de rire général, mais Jodie ne l'entendit pas. Brad la demandait en mariage ? Non, c'était impossible.

Et pourtant, elle était le point de mire et manifestement, tout le monde attendait sa réponse.

Les jambes flageolantes, le cœur battant à tout rompre, elle se tourna vers Brad. Rien sur son visage impassible ne trahissait ses pensées.

En fait, il était sérieux, comprit-elle, submergée d'un bonheur indicible.

— Uniquement si c'est toi qui partages l'affiche avec moi, dit-elle en prenant le bouquet avant de se jeter dans ses bras et de l'embrasser sous le regard ému de toute l'assemblée.

— Même heure, même endroit, à la date de ton choix ? murmura-t-il à son oreille.

— Oui.

— Es-tu d'accord également pour que nous réglions enfin cette affaire en suspens depuis cet après-midi ?

— Oui.

La soulevant dans ses bras, il fendit la foule sous les applaudissements avant de monter l'escalier.

Épilogue

Par une belle journée ensoleillée du mois de juin, la famille Layton et ses invités se réunirent de nouveau au château de Melchester.

Au moment de lancer son bouquet, Jodie visa Gina avec application, mais celle-ci était tellement occupée à échanger des regards éloquents avec le témoin qu'elle ne s'en aperçut pas.

Déjà, au cours de la cérémonie, le témoin, un ancien joueur international de rugby qui avait survécu à ce sport sans plus de dommage qu'un nez cassé, avait dû être rappelé à l'ordre deux fois avant de donner les alliances. Il était apparemment très occupé à adresser des œillades langoureuses à Gina.

Quand Brad glissa l'alliance à son doigt en l'enveloppant d'un regard brûlant, Jodie, le cœur débordant d'amour et de joie, songea que c'était le plus beau jour de sa vie.

Du moins, jusque-là...

Chère lectrice,

Vous nous êtes fidèle depuis longtemps?
Vous venez de faire notre connaissance?

C'est pour votre plaisir que nous avons
imaginé un rendez-vous chaque mois
avec vos auteurs préférés, vos
AUTEURS VEDETTE dans les
collections Azur et Horizon.

Les **AUTEURS VEDETTE** vous
donneront rendez-vous pour de
nouveaux livres vedette.

Pour les reconnaître, cherchez
l'étoile... Elle vous guidera!

Éditions Harlequin

HARLEQUIN

LE FORUM DES LECTEURS ET LECTRICES

CHERS(ES) LECTEURS ET LECTRICES,

VOUS NOUS ETES FIDÈLES DEPUIS LONGTEMPS?

VOUS VENEZ DE FAIRE NOTRE CONNAISSANCE?

SI VOUS AVEZ DES COMMENTAIRES, DES CRITIQUES À
FORMULER, DES SUGGESTIONS À OFFRIR, N'HÉSITEZ
PAS... ÉCRIVEZ-NOUS À:
     LES ENTERPRISES HARLEQUIN LTÉE.
     498 RUE ODILE
     FABREVILLE, LAVAL, QUÉBEC.
     H7R 5X1

C'EST AVEC VOS PRÉCIEUX COMMENTAIRES QUE NOUS
ALLONS POUVOIR MIEUX VOUS SERVIR.

DE PLUS, SI VOUS DÉSIREZ RECEVOIR UNE OU
PLUSIEURS DE VOS SÉRIES HARLEQUIN PRÉFÉRÉE(S)
À VOTRE DOMICILE, NE TARDEZ PAS À CONTACTER LE
SERVICE D'ABONNEMENT; EN APPELANT AU
(514) 875-4444 (RÉGION DE MONTRÉAL) OU 1-800-667-4444
(EXTÉRIEUR DE MONTRÉAL) OU TÉLÉCOPIEUR
(514) 523-4444 OU COURRIER ELECTRONIQUE:
AQCOURRIER@ABONNEMENT.QC.CA OU EN ÉCRIVANT À:
     ABONNEMENT QUÉBEC
     525 RUE LOUIS-PASTEUR
     BOUCHERVILLE, QUÉBEC
     J4B 8E7

MERCI, À L'AVANCE, DE VOTRE COOPÉRATION.

BONNE LECTURE.

HARLEQUIN.

VOTRE PASSEPORT POUR LE MONDE DE L'AMOUR.

COLLECTION HORIZON

Des histoires d'amour romantiques qui vous mènent au bout du monde!

Découvrez la passion et les vives émotions qu'apportent à la Collection Horizon des auteurs de renommée internationale!

Captivantes, voire irrésistibles, ces histoires d'amour vous iront assurément droit au coeur.

Surveillez nos trois nouveaux titres chaque mois!

GEN-H-R

HARLEQUIN

COLLECTION ROUGE PASSION

- Des héroines émancipées.
- Des héros qui savent aimer.
- Des situations modernes et réalistes.
- Des histoires d'amour sensuelles et provocantes.

LAISSEZ-VOUS TENTER
par 3 titres irrésistibles
chaque mois.

RP-1-R

L'ASTROLOGIE EN DIRECT
TOUT AU LONG
DE L'ANNÉE.

(France métropolitaine uniquement)
Par téléphone 08.92.68.41.01
0,34 € la minute (Serveur SCESI).

Composé et édité par les
éditions Harlequin
Achevé d'imprimer en juin 2004

BUSSIÈRE
GROUPE CPI

à Saint-Amand-Montrond (Cher)
Dépôt légal : juillet 2004
N° d'imprimeur : 42832 — N° d'éditeur : 10623

Imprimé en France